"In The Name Of Allah, Most Gracious, Most Merciful"
"We have, without doubt, sent down the message,
and we will assuredly guard it"

It is of His Glory's gifts upon us that He made His QUR'AN easy to comprehend.

* its words were written in a simple way, during the age of prophet Muhammad (Allah bless and give him peace)

(1) Calligraphy of words only without dots or vowels

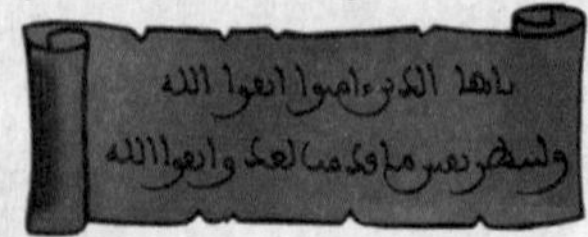

* its letters were vowelized during the days of Al-Imam Ali (May Allah honor him).

(2) Calligraphy + Vowelization

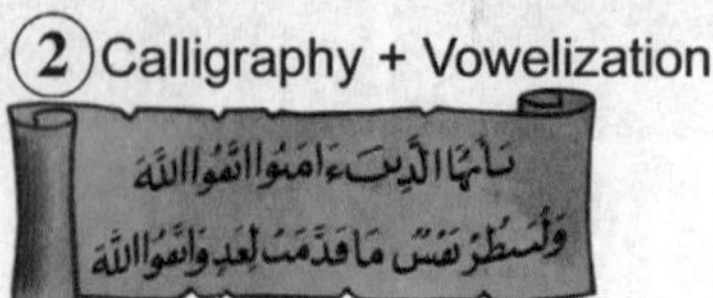

* Dots were placed on the letters which resemble each other, during the days of Caliph Abdul Malek Ibn Marwan

(3) Calligraphy + Vowelization + Dotting

يَٰٓأَيُّهَا ٱلَّذِينَ ءَامَنُواْ ٱتَّقُواْ ٱللَّهَ
وَلۡتَنظُرۡ نَفۡسٞ مَّا قَدَّمَتۡ لِغَدٖۖ وَٱتَّقُواْ ٱللَّهَ

* Now Allah has gifted us with the idea of symbolizing some letters which are subject to recitation in His Noble Book, by using colors to indicate the rules of recitation and their timing in order to facilitate the recitation of the Noble QUR'AN. As being fortunate by Allah and his guidance, in full compliance with his Glory's words: "Intone the QUR'AN slowly and distinctly"

﴿ وَرَتِّلِ ٱلۡقُرۡءَانَ تَرۡتِيلًا ﴾

(NOW) Calligraphy + Vowelization + Dotting + Tajweed

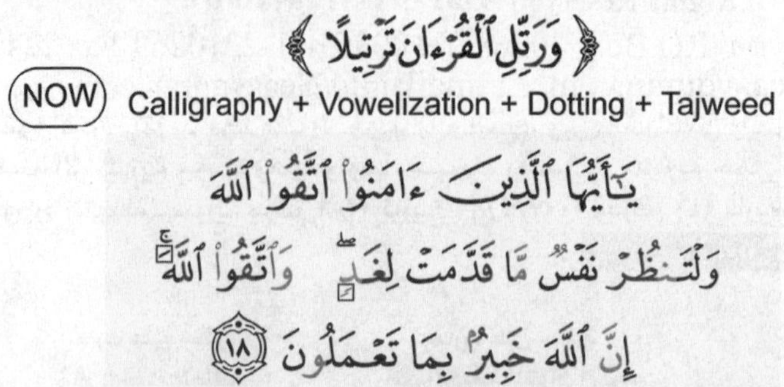

دار المعرفة

خطَّ حروف كلماته بالرسم العثماني
الخطاط عثمان طه

جوَّد حروفه
الدكتور المهندس صبحي طه
بموجب براءة اختراع رسمية
للترميز الزمني واللوني برقم ٤٤٧٤ تاريخ ١٩٩٤/٥/٣١
وللفراغ الوقفي الاختياري برقم ٥٢٧٤ تاريخ ٢٠٠٣/٦/٣

مصحف التجويد Tajweed Qur'an

Meaning translation in English by Abdyllah Yusuf Ali
& **Transliteration** by Dr. Eng. Subhi Taha

New method of distinguishing some special Arabic pronunciations, by dotting the closest phonetic English letters.

SYMBOLS OF THE TRANSLITERATION

Arabic Letter	Phonetic	Example		Arabic Letter	Phonetic	Example	
ح	ḥ	حَرّ	ḥarr	ص	ṣ	صِراطَ	ṣirâṭa
(فتحة) ـَ	a			ط	ṭ	صِراطَ	ṣirâṭa
خ	kh	يَسخَرُ	yaskharu				
(ضمة) ـُ	u			ظ	ẓ	عَظيم	'aẓeem
غ	ġ	غَيرِ	ġayri	ث	th	كَوثَر	kawthar
(كسرة) ـِ	i			ق	q̇	قالَ	q̇âla
ذ	ẕ	ذَٰلِكَ	ẕâlika	وَ	wa	وَقالَ	waq̇âla
ا	â			ش	sh	أَشَدُّ	'ashaddu
ض	ḍ	مَغضوبِ	maġḍoubi				
و	ou			(همزه) ء	'	مؤمنين	mu'mineen
ع	'	عالَمين	'âlameen	أَوْ	'aw	أَوْلا	'awlâ
ي	ee						

Damascus - Syria P.O.Box 30268 Tel 00963-11-2210269 Fax 2241615
www.easyquran.com e-mail: info@easyquran.com

ISBN 978-9933-423-37-7

حازت على جائزة
تاج الجودة العالمية
لندن عام 2003

حازت على جائزة
رأس الخيمة للقرآن الكريم
الإمارات عام 2007

مطبعة الثريا - دمشق
2010

Sample demonstrates some coded Tajweed rules

Only by three main colors: ***RED(color graduation)*** for the positions to be prolonged, ***GREEN*** for the nasal (ghunnah),***BLUE*** for the description of sound articulation,(*Gray* **is not Pronounced)**

While reciting, **28** rules are immediately applied without memorizing these rules.

If you want to memorize them, they are explained at the end of this Qur'an.

Dear Reader of The Qur'an
In order to concentrate on the meaning, you are recommended to stop at the spaces between some words you should non-vocalize the last letter of the word (where the vowel is blocked in a small square).
But if you don't want to stop, please neglect the square and the rule pertaining to this stop.

The Emphatic of the letters (خ،ص،ض،غ،ط،ق،ظ) maximize with (Fatha) followed by letter (Alif), and minimize with (Kasra).

سُورَةُ الفَاتِحَةِ
ترتيبها ١ — آياتها ٧

بِسْمِ ٱللَّهِ ٱلرَّحْمَٰنِ ٱلرَّحِيمِ ١
ٱلْحَمْدُ لِلَّهِ رَبِّ ٱلْعَٰلَمِينَ ٢ ٱلرَّحْمَٰنِ
ٱلرَّحِيمِ ٣ مَٰلِكِ يَوْمِ ٱلدِّينِ ٤
إِيَّاكَ نَعْبُدُ وَإِيَّاكَ نَسْتَعِينُ ٥
ٱهْدِنَا ٱلصِّرَٰطَ ٱلْمُسْتَقِيمَ ٦ صِرَٰطَ
ٱلَّذِينَ أَنْعَمْتَ عَلَيْهِمْ غَيْرِ ٱلْمَغْضُوبِ
عَلَيْهِمْ وَلَا ٱلضَّآلِّينَ ٧

Fatiha, or the Opening Chapter.

1. In the name of Allah, Most Gracious, Most
Merciful. 2. Praise be to Allah, the Cherisher and
Sustainer of the Worlds; 3. Most Gracious, Most
Merciful; 4. Master of the Day of Judgment.
5. Thee do we worship, and Thine aid we seek.
6. Show us the straight way, 7. The way of those on
whom Thou hast bestowed Thy Grace, those whose
(portion) is not wrath, and who go not astray.

● Necessary prolongation 6 vowels ● Permissible prolongation 2,4,6 vowels	● Nazalization (ghunnah) 2 vowels	● Emphatic pronunciation
● Obligatory prolongation 4 or 5 vowels ● Normal prolongation 2 vowels	● Un announced (silent)	● Unrest letters (Echoing Sound)

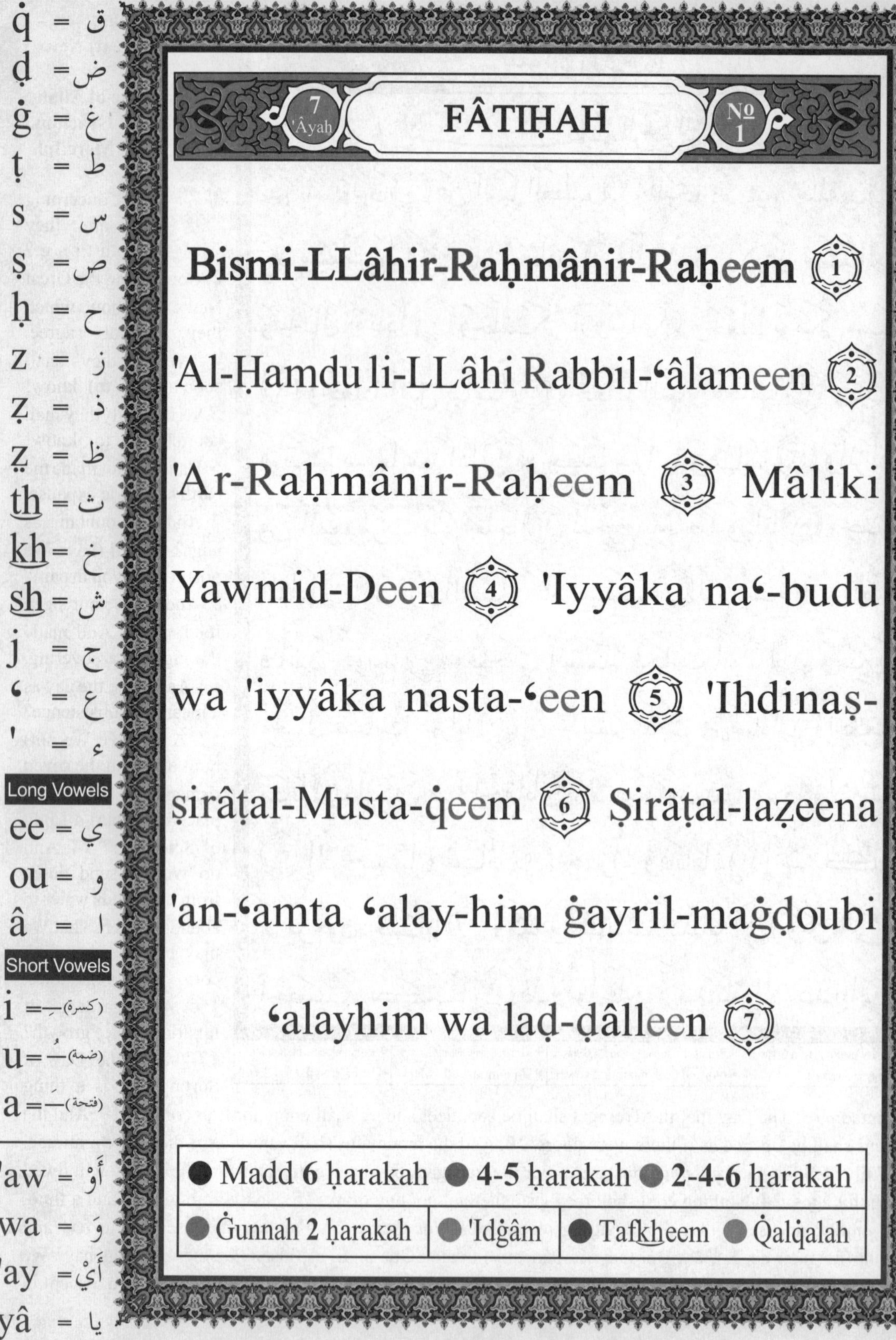

FÂTIḤAH

7 'Âyah — № 1

Bismi-LLâhir-Raḥmânir-Raḥeem (1)

'Al-Ḥamdu li-LLâhi Rabbil-'âlameen (2)

'Ar-Raḥmânir-Raḥeem (3) Mâliki

Yawmid-Deen (4) 'Iyyâka na'-budu

wa 'iyyâka nasta-'een (5) 'Ihdinaṣ-

ṣirâṭal-Musta-q̇eem (6) Ṣirâṭal-laẓeena

'an-'amta 'alay-him ġayril-maġḍoubi

'alayhim wa laḍ-ḍâlleen (7)

● Madd **6** ḥarakah	● **4-5** ḥarakah	● **2-4-6** ḥarakah
● Ġunnah **2** ḥarakah	● 'Idġâm	● Tafkheem ● Q̇alq̇alah

q̇ = ق
ḍ = ض
ġ = غ
ṭ = ط
s = س
ṣ = ص
ḥ = ح
z = ز
ẓ = ذ
ẓ = ظ
th = ث
kh = خ
sh = ش
j = ج
' = ع
' = ء

Long Vowels

ee = ي
ou = و
â = ا

Short Vowels

i = ـِ (كسرة)
u = ـُ (ضمة)
a = ـَ (فتحة)

'aw = أَوْ
wa = وَ
'ay = أَيْ
yâ = يا

سُورَةُ النَّبَإِ

ترتيبها ٧٨ آياتها ٤٠

Nabaa, or The (Great) News.

بِسْمِ اللَّهِ الرَّحْمَٰنِ الرَّحِيمِ

عَمَّ يَتَسَاءَلُونَ ﴿١﴾ عَنِ النَّبَإِ الْعَظِيمِ ﴿٢﴾ الَّذِي هُمْ فِيهِ مُخْتَلِفُونَ ﴿٣﴾
كَلَّا سَيَعْلَمُونَ ﴿٤﴾ ثُمَّ كَلَّا سَيَعْلَمُونَ ﴿٥﴾ أَلَمْ نَجْعَلِ الْأَرْضَ مِهَادًا ﴿٦﴾
وَالْجِبَالَ أَوْتَادًا ﴿٧﴾ وَخَلَقْنَاكُمْ أَزْوَاجًا ﴿٨﴾ وَجَعَلْنَا نَوْمَكُمْ سُبَاتًا
﴿٩﴾ وَجَعَلْنَا اللَّيْلَ لِبَاسًا ﴿١٠﴾ وَجَعَلْنَا النَّهَارَ مَعَاشًا ﴿١١﴾ وَبَنَيْنَا
فَوْقَكُمْ سَبْعًا شِدَادًا ﴿١٢﴾ وَجَعَلْنَا سِرَاجًا وَهَّاجًا ﴿١٣﴾ وَأَنْزَلْنَا
مِنَ الْمُعْصِرَاتِ مَاءً ثَجَّاجًا ﴿١٤﴾ لِنُخْرِجَ بِهِ حَبًّا وَنَبَاتًا ﴿١٥﴾ وَجَنَّاتٍ
أَلْفَافًا ﴿١٦﴾ إِنَّ يَوْمَ الْفَصْلِ كَانَ مِيقَاتًا ﴿١٧﴾ يَوْمَ يُنْفَخُ فِي الصُّورِ
فَتَأْتُونَ أَفْوَاجًا ﴿١٨﴾ وَفُتِحَتِ السَّمَاءُ فَكَانَتْ أَبْوَابًا ﴿١٩﴾ وَسُيِّرَتِ
الْجِبَالُ فَكَانَتْ سَرَابًا ﴿٢٠﴾ إِنَّ جَهَنَّمَ كَانَتْ مِرْصَادًا ﴿٢١﴾ لِلطَّاغِينَ
مَآبًا ﴿٢٢﴾ لَابِثِينَ فِيهَا أَحْقَابًا ﴿٢٣﴾ لَا يَذُوقُونَ فِيهَا بَرْدًا وَلَا شَرَابًا
﴿٢٤﴾ إِلَّا حَمِيمًا وَغَسَّاقًا ﴿٢٥﴾ جَزَاءً وِفَاقًا ﴿٢٦﴾ إِنَّهُمْ كَانُوا
لَا يَرْجُونَ حِسَابًا ﴿٢٧﴾ وَكَذَّبُوا بِآيَاتِنَا كِذَّابًا ﴿٢٨﴾ وَكُلَّ شَيْءٍ
أَحْصَيْنَاهُ كِتَابًا ﴿٢٩﴾ فَذُوقُوا فَلَنْ نَزِيدَكُمْ إِلَّا عَذَابًا ﴿٣٠﴾

Necessary prolongation 6 vowels	Permissible prolongation 2,4,6 vowels	Nazalization (ghunnah) 2 vowels	Emphatic pronunciation
Obligatory prolongation 4 or 5 vowels	Normal prolongation 2 vowels	Un announced (silent)	Unrest letters (Echoing Sound)

In the name of Allah, Most Gracious, Most Merciful.

الجزء ٣٠ الحزب ٥٩

1. Concerning what are they disputing? 2. Concerning the Great News, 3. About which they cannot agree. 4. Verily, they shall soon (come to) know! 5. Verily, verily they shall soon (come to) know! 6. Have We not made the earth as a wide expanse, 7. And the mountains as pegs? 8. And (have We not) created you in pairs, 9. And made your sleep for rest, 10. And made the night as a covering, 11. And made the day as a means of subsistence? 12. And (have We not) built over you the seven firmaments, 13. And placed (therein) a Light of Splendour? 14. And do We not send down from the clouds water in abundance, 15. That We may produce therewith corn and vegetables, 16. And gardens of luxurious growth? 17. Verily the Day of Sorting Out is a thing appointed,- 18. The Day that the Trumpet shall be sounded, and ye shall come forth in crowds; 19. And the heavens shall be opened as if there were doors, 20. And the mountains shall vanish, as if they were a mirage. 21. Truly Hell is as a place of ambush,- 22. For the transgressors a place of destination: 23. They will dwell therein for ages. 24. Nothing cool shall they taste therein, nor any drink, 25. Save a boiling fluid and a fluid, dark, murky, intensely cold,- 26. A fitting recompense (for them). 27. For that they used not to fear any account (for their deeds), 28. But they (impudently) treated Our Signs as false. 29. And all things have We preserved on record. 30. "So taste ye (the fruits of your deeds); for no increase shall We grant you, except in Punishment."

q̇ = ق
ḍ = ض
ġ = غ
ṭ = ط
s = س
ṣ = ص
ḥ = ح
z = ز
ẓ = ذ
z̤ = ظ
th = ث
kh = خ
sh = ش
j = ج
‘ = ع
' = ء

Long Vowels
ee = ي
ou = و
â = ا

Short Vowels
i = ـِ (كسرة)
u = ـُ (ضمة)
a = ـَ (فتحة)

'aw = أَوْ
wa = وَ
'ay = أَيْ
yâ = يا

NABA'

40 'Âyah

Nº 78

Bismi-LLâhir-Raḥmânir-Raḥeem

‘Amma yatasâ-'aloun (1) ‘Anin-Naba-'il-‘Az̤eem (2)
'Allaẓee hum feehi mukhtalifoun (3) Kallâ sa-ya‘-la-
moun (4) Thumma kallâ sa-ya‘-la-moun (5) 'Alam
naj-‘alil-'arḍa mihâdâ (6) Wal-jibâla 'awtâdâ (7) Wa
khalaq̇nâkum 'azwâjâ (8) Wa ja-‘alnâ nawmakum
subâtâ (9) Wa ja-‘alnal-layla libâsâ (10) Wa ja-‘al-
nan-nahâra ma-‘âshâ (11) Wa banaynâ fawq̇akum
sab‘an-shidâdâ (12) Wa ja-‘alnâ Sirâjanw-wahhâjâ (13)
Wa 'anzalnâ minal-mu‘-ṣirâti mâ-'an-thajjâjâ (14) Li-
nukhrija bihee ḥabbanw-wa nabâtâ (15) Wa Jannâtin
'alfâfâ (16) 'Inna Yawmal-Faṣli kâna meeq̇âtâ (17)
Yawma yunfakhu fiṣ-Ṣouri fa-ta'-touna 'afwâjâ
(18) Wa futiḥatis-samâ-'u fa-kânat 'abwâbâ (19)
Wa suyyiratil-jibâlu fa-kânat sarâbâ (20) 'Inna
Jahannama kânat mirṣâdâ (21) Liṭṭâġeena ma-'âbâ (22)
Lâbitheena feehâ 'aḥq̇âbâ (23) Lâ yaẓouq̇ouna feehâ
bardanw-wa lâ sharâbâ (24) 'Illâ ḥameemanw-wa
ġassâq̇â (25) Jazâ-'anw-wifâq̇â (26) 'Innahum Kânou
lâ yarjouna ḥisâbâ (27) Wa kaẓẓabou bi-'Âyâ-tinâ
kiẓẓâbâ (28) Wa kulla shay-'in 'aḥṣay-nâhu Kitâbâ (29)
Fa-ẓouq̇ou falan-nazeeda-kum 'illâ ‘aẓâbâ (30)

إِنَّ لِلْمُتَّقِينَ مَفَازًا ﴿٣١﴾ حَدَآئِقَ وَأَعْنَٰبًا ﴿٣٢﴾ وَكَوَاعِبَ أَتْرَابًا ﴿٣٣﴾ وَكَأْسًا
دِهَاقًا ﴿٣٤﴾ لَّا يَسْمَعُونَ فِيهَا لَغْوًا وَلَا كِذَّٰبًا ﴿٣٥﴾ جَزَآءً مِّن رَّبِّكَ عَطَآءً
حِسَابًا ﴿٣٦﴾ رَّبِّ ٱلسَّمَٰوَٰتِ وَٱلْأَرْضِ وَمَا بَيْنَهُمَا ٱلرَّحْمَٰنِ ۖ لَا يَمْلِكُونَ
مِنْهُ خِطَابًا ﴿٣٧﴾ يَوْمَ يَقُومُ ٱلرُّوحُ وَٱلْمَلَٰٓئِكَةُ صَفًّا ۖ لَّا يَتَكَلَّمُونَ
إِلَّا مَنْ أَذِنَ لَهُ ٱلرَّحْمَٰنُ وَقَالَ صَوَابًا ﴿٣٨﴾ ذَٰلِكَ ٱلْيَوْمُ ٱلْحَقُّ ۖ فَمَن
شَآءَ ٱتَّخَذَ إِلَىٰ رَبِّهِۦ مَـَٔابًا ﴿٣٩﴾ إِنَّآ أَنذَرْنَٰكُمْ عَذَابًا قَرِيبًا يَوْمَ
يَنظُرُ ٱلْمَرْءُ مَا قَدَّمَتْ يَدَاهُ وَيَقُولُ ٱلْكَافِرُ يَٰلَيْتَنِى كُنتُ تُرَٰبًۢا ﴿٤٠﴾

سُورَةُ النَّازِعَاتِ

ترتيبها ٧٩ — آياتها ٤٦

بِسْمِ ٱللَّهِ ٱلرَّحْمَٰنِ ٱلرَّحِيمِ

وَٱلنَّٰزِعَٰتِ غَرْقًا ﴿١﴾ وَٱلنَّٰشِطَٰتِ نَشْطًا ﴿٢﴾ وَٱلسَّٰبِحَٰتِ سَبْحًا
﴿٣﴾ فَٱلسَّٰبِقَٰتِ سَبْقًا ﴿٤﴾ فَٱلْمُدَبِّرَٰتِ أَمْرًا ﴿٥﴾ يَوْمَ تَرْجُفُ ٱلرَّاجِفَةُ
﴿٦﴾ تَتْبَعُهَا ٱلرَّادِفَةُ ﴿٧﴾ قُلُوبٌ يَوْمَئِذٍ وَاجِفَةٌ ﴿٨﴾ أَبْصَٰرُهَا
خَٰشِعَةٌ ﴿٩﴾ يَقُولُونَ أَءِنَّا لَمَرْدُودُونَ فِى ٱلْحَافِرَةِ ﴿١٠﴾ أَءِذَا كُنَّا
عِظَٰمًا نَّخِرَةً ﴿١١﴾ قَالُوا۟ تِلْكَ إِذًا كَرَّةٌ خَاسِرَةٌ ﴿١٢﴾ فَإِنَّمَا هِىَ زَجْرَةٌ
وَٰحِدَةٌ ﴿١٣﴾ فَإِذَا هُم بِٱلسَّاهِرَةِ ﴿١٤﴾ هَلْ أَتَىٰكَ حَدِيثُ مُوسَىٰٓ ﴿١٥﴾

• Necessary prolongation 6 vowels	• Permissible prolongation 2,4,6 vowels	• Nazalization (ghunnah) 2 vowels	• Emphatic pronunciation
• Obligatory prolongation 4 or 5 vowels	• Normal prolongation 2 vowels	• Un announced (silent)	• Unrest letters (Echoing Sound)

31. Verily for the Righteous there will be a fulfilment of (the Heart's) desires;
32. Gardens enclosed, and Grapevines;
33. Companions of Equal Age; 34. And a Cup full (to the Brim). 35. No Vanity shall they hear therein, nor Untruth;-
36. Recompense from thy Lord, a Gift, (amply) sufficient,- 37. (From) the Lord of the heavens and the earth, and all between,- (Allah) Most Gracious: none shall have power to argue with Him. 38. The Day that the spirit and the angels will stand forth in ranks, none shall speak except any who is permitted by (Allah) Most Gracious, and he will say what is right.
39. That Day will be the sure Reality: therefore, whoso will,let him take a (straight) Return to his Lord! 40. Verily, We have warned you of a Penalty near,- the Day when man will see (the Deeds) which his hands have sent forth, and the Unbeliever will say, "Woe unto me! Would that I were (mere) dust!"

Naziat, or Those Who Tear Out.

In the name of Allah, Most Gracious, Most Merciful.

1. By the (angels) who tear out (the souls of the wicked) with violence; 2. By those who gentlydraw out (the souls of the blessed); 3. And by those who glid along (on errands of mercy), . Then press forward as in a race, 5. Then arrange to do (the Commands of their Lord),- 6. One Day everything that can be in commotion will be in violent commotion, 7. Followed by oft-repeated (Commotions): 8. Hearts that Day will be in agitation; 9. Cast down will be (their owners') eyes. 10. They say (now): "What! Shall we indeed be returned to (our) former state?- 11. "What!- when we shall have become rotten bones?" 12. They say: "It would, in that case, be a return with loss!" 13. But verily, it will be but a single (compelling) Cry, 14. When, behold, they will be in the (full) awakening (to Judgment).15. Has the story of Moses reached thee?

q̇ = ق

Naba'

ḍ = ض
ġ = غ
ṭ = ط
s = س
ṣ = ص
ḥ = ح
z = ز
ẓ = ذ
ẓ = ظ
th = ث
kh = خ
sh = ش
j = ج
‘ = ع
' = ء

Long Vowels

ee = ي
ou = و
â = ا

Short Vowels

i = ـِ (كسرة)
u = ـُ (ضمة)
a = ـَ (فتحة)

'aw = أَوْ
wa = وَ
'ay = أَيْ
yâ = يا

'Inna lil-Muttaq̇eena mafâzâ (31) Ḥadâ-'iq̇a wa 'a‘- nâbâ
(32) Wa kawâ-‘iba 'atrâbâ (33) Wa ka'-san-dihâq̇â (34) Lâ
yasma-‘ouna feehâ laġwanw-wa lâ kiẓẓâbâ (35) Jazâ-
'am-mir-Rabbika ‘aṭâ-'an ḥisâbâ (36) Rabbis-samâwâti
wal-'arḍi wa mâ baynahumar-Raḥmân; lâ yamlikouna
minhu khiṭâbâ (37) Yawma yaq̇oumur-Rouḥu wal-
malâ-'ikatu ṣaffâ, lâ yatakallamouna 'illâ man
'aẓina lahur-Raḥmânu wa q̇âla ṣawâbâ (38) Ẓâlikal-
Yawmul-Ḥaq̇q̇; faman-shâ-'attakhaẓa 'ilâ Rabbihee
ma-'âbâ (39) 'Innâ 'anẓarnâkum ‘Aẓâban-q̇areebany-
yawma yanẓurul-mar-'u mâ q̇addamat yadâhu
wa yaq̇oulul-kâfiru yâ-laytanee kuntu turâbâ (40)

46 'Âyah

NÂZI-‘ÂT

№ 79

Bismi-LLâhir-Raḥmânir-Raḥeem

Wan-NÂZI-‘ÂTI ġarq̇â (1) Wan-nâshiṭâti nashṭâ
(2) Was-sâbiḥâti sabḥâ (3) Fas-sâbiq̇âti sabq̇â
(4) Fal-mudabbirâti 'amrâ (5) Yawma tarjufur-
râjifah (6) Tatba‘u-har-Râdifah (7) Q̇uloubuny-
yawma-'iẓinw-wâjifah (8) 'Abṣâruhâ khâshi-
‘ah (9) Yaq̇oulouna 'a-'innâ la-mardoudouna
fil-ḥâfirah (10) 'A-'iẓâ kunnâ ‘iẓâmannakhirah
(11) Q̇âlou tilka 'iẓan-karratun khâsirah (12) Fa-
'innamâ hiya zaj-ratunw-wâḥidah (13) Fa-'iẓâ hum-
bis-sâhirah (14) Hal 'atâka ḥadeethu Mousâ (15)

Madd 6 ḥarakah · 4-5 ḥarakah · 2-4-6 ḥarakah · Ġunnah 2 ḥarakah · 'Idġâm · Tafkheem · Q̇alq̇al

إِذْ نَادَىٰهُ رَبُّهُۥ بِٱلْوَادِ ٱلْمُقَدَّسِ طُوًى ﴿١٦﴾ ٱذْهَبْ إِلَىٰ فِرْعَوْنَ إِنَّهُۥ طَغَىٰ ﴿١٧﴾
فَقُلْ هَل لَّكَ إِلَىٰٓ أَن تَزَكَّىٰ ﴿١٨﴾ وَأَهْدِيَكَ إِلَىٰ رَبِّكَ فَتَخْشَىٰ ﴿١٩﴾ فَأَرَىٰهُ
ٱلْـَٔايَةَ ٱلْكُبْرَىٰ ﴿٢٠﴾ فَكَذَّبَ وَعَصَىٰ ﴿٢١﴾ ثُمَّ أَدْبَرَ يَسْعَىٰ ﴿٢٢﴾ فَحَشَرَ
فَنَادَىٰ ﴿٢٣﴾ فَقَالَ أَنَا۠ رَبُّكُمُ ٱلْأَعْلَىٰ ﴿٢٤﴾ فَأَخَذَهُ ٱللَّهُ نَكَالَ ٱلْـَٔاخِرَةِ وَٱلْأُولَىٰٓ
﴿٢٥﴾ إِنَّ فِى ذَٰلِكَ لَعِبْرَةً لِّمَن يَخْشَىٰٓ ﴿٢٦﴾ ءَأَنتُمْ أَشَدُّ خَلْقًا أَمِ ٱلسَّمَآءُ ۚ بَنَىٰهَا
﴿٢٧﴾ رَفَعَ سَمْكَهَا فَسَوَّىٰهَا ﴿٢٨﴾ وَأَغْطَشَ لَيْلَهَا وَأَخْرَجَ ضُحَىٰهَا ﴿٢٩﴾
وَٱلْأَرْضَ بَعْدَ ذَٰلِكَ دَحَىٰهَآ ﴿٣٠﴾ أَخْرَجَ مِنْهَا مَآءَهَا وَمَرْعَىٰهَا ﴿٣١﴾
وَٱلْجِبَالَ أَرْسَىٰهَا ﴿٣٢﴾ مَتَٰعًا لَّكُمْ وَلِأَنْعَٰمِكُمْ ﴿٣٣﴾ فَإِذَا جَآءَتِ ٱلطَّآمَّةُ
ٱلْكُبْرَىٰ ﴿٣٤﴾ يَوْمَ يَتَذَكَّرُ ٱلْإِنسَٰنُ مَا سَعَىٰ ﴿٣٥﴾ وَبُرِّزَتِ ٱلْجَحِيمُ
لِمَن يَرَىٰ ﴿٣٦﴾ فَأَمَّا مَن طَغَىٰ ﴿٣٧﴾ وَءَاثَرَ ٱلْحَيَوٰةَ ٱلدُّنْيَا ﴿٣٨﴾ فَإِنَّ ٱلْجَحِيمَ
هِىَ ٱلْمَأْوَىٰ ﴿٣٩﴾ وَأَمَّا مَنْ خَافَ مَقَامَ رَبِّهِۦ وَنَهَى ٱلنَّفْسَ عَنِ ٱلْهَوَىٰ
﴿٤٠﴾ فَإِنَّ ٱلْجَنَّةَ هِىَ ٱلْمَأْوَىٰ ﴿٤١﴾ يَسْـَٔلُونَكَ عَنِ ٱلسَّاعَةِ أَيَّانَ مُرْسَىٰهَا
﴿٤٢﴾ فِيمَ أَنتَ مِن ذِكْرَىٰهَآ ﴿٤٣﴾ إِلَىٰ رَبِّكَ مُنتَهَىٰهَآ ﴿٤٤﴾ إِنَّمَآ أَنتَ مُنذِرُ
مَن يَخْشَىٰهَا ﴿٤٥﴾ كَأَنَّهُمْ يَوْمَ يَرَوْنَهَا لَمْ يَلْبَثُوٓا۟ إِلَّا عَشِيَّةً أَوْ ضُحَىٰهَا ﴿٤٦﴾

سُورَةُ عَبَسَ

ترتيبها ٨٠ — آياتها ٤٢

Necessary prolongation 6 vowels	Permissible prolongation 2,4,6 vowels	Nazalization (ghunnah) 2 vowels	Emphatic pronunciation
Obligatory prolongation 4 or 5 vowels	Normal prolongation 2 vowels	Un announced (silent)	Unrest letters (Echoing Sound)

16. Behold, thy Lord did
call to him in the sacred
valley of Tuwa:- 17. "Go
thou to Pharaoh, for he
has indeed transgressed
all bounds: 18. "And say
to him, Wouldst thou that
thou shouldst be purified
(from sin)? 19. "'And
that I guide thee to thy
Lord, so thou shouldst
fear Him?' " 20. Then
did (Moses) show him
the Great Sign. 21. But
(Pharaoh) rejected it and
disobeyed (guidance);
22. Further, he turned
his back, striving hard
(against Allah). 23. Then
he collected (his men)
and made a proclamation,
24. Saying, "I am your
Lord, Most High".
25. But Allah did punish
him, (and made an)
example of him,- in the
Hereafter, as in this life.
26. Verily in this is an
instructive warning for
whosoever feareth (Allah).
27. What! Are ye the
more difficult to create
or the heaven (above)?
(Allah) hath constructed it:
28. On high hath He
raised its canopy, and He
hath given it order and
perfection. 29. Its night
doth He endow with
darkness, and its splendour
doth He bring out (with
light). 30. And the earth,
moreover, hath He
extended (to a wide expanse); 31. He draweth out therefrom its moisture and its pasture; 32. And the mountains hath He firmly
fixed; 33. For use and convenience to you and your cattle. 34. Therefore, when there comes the great, overwhelming (Event),-
35. The Day when Man shall remember (all) that he strove for, 36. And Hell-Fire shall be placed in full view for (all) to see,-
37. Then, for such as had transgressed all bounds, 38. And had preferred the life of this world, 39. The Abode will be
Hell- Fire; 40. And for such as had entertained the fear of standing before their Lord's (tribunal) and had restrained
(their) soul from lower Desires, 41. Their Abode will be the Garden. 42. They ask thee about the Hour,- When will be
its appointed time? 43. Wherein art thou (concerned) with the declaration thereof ? 44. With thy Lord is the Limit fixed
therefor. 45. Thou art but a Warner for such as fear it. 46. The Day they see it, (it will be) as if they had tarried but a single
evening, or (at most till) the following morn!

'Iẕ nâdâhu Rabbuhou bil-wâdil-muqaddasi Ṭuwâ (16)
'Iẕhab 'ilâ Fir-'awna 'innahou ṭağâ (17) Faqul hal-
laka 'ilâ 'an-tazakkâ (18) Wa 'ahdiyaka 'ilâ Rabbika
fatakhshâ (19) Fa-'arâhul-'Âyatal-Kubrâ (20) Fa-kaẕẕaba
wa 'aṣâ (21) Thumma 'adbara yas-'â (22) Fa-ḥashara
fa-nâdâ (23) Fa-qâla 'ana Rabbukumul-'a'-lâ (24) Fa-
'akhaẕahu-LLâhu nakâlal-'Âkhirati wal-'oulâ (25) 'Inna
fee ẕâlika la-'ibratallimany-yakh-shâ (26) 'A-'antum
'ashaddu khalqan 'amissamâ'? Banâhâ (27) Rafa-'a
samkahâ fa-sawwâhâ (28) Wa 'ağṭasha laylahâ wa
'akhraja ḍuḥâhâ (29) Wal-'arḍa ba'-da ẕâlika daḥâhâ
(30) 'Akhraja minhâ mâ-'ahâ wa mar-'âhâ (31) Wal-
jibâla 'arsâhâ (32) Matâ-'al-lakum wa li-'an'âmikum
(33) Fa-'iẕâ jâ-'atiṭ-ṭâm-matul-Kubrâ (34) Yawma
yataẕakkarul-'in-sânu mâ sa-'â (35) Wa burrizatil-
Jaḥeemu li-many-yarâ (36) Fa-'ammâ man-ṭağâ (37) Wa
'âtharal-ḥayâtad-dunyâ (38) Fa 'innal-Jaḥeema hiyal-
ma'-wâ (39) Wa 'ammâ man khâfa Maqâma Rabbihee
wa nahan-nafsa 'anil-hawâ (40) Fa-'innal-Jannata
hiyal-ma'-wâ (41) Yas-'alounaka 'anis-Sâ-'ati 'ayyâna
mursâhâ (42) Feema 'anta min-ẕikrâhâ (43) 'Ilâ Rabbika
Muntahâ-hâ (44) 'Innamâ 'anta munẕiru many-
yakhshâhâ (45) Ka-'annahum Yawma yarawnahâ
lam yalbathou 'illâ 'ashiyyatan 'aw ḍuḥâhâ (46)

'ABASA

42 'Âyah — № 80

Nâzi-'ât

q = ق
ḍ = ض
ğ = غ
ṭ = ط
s = س
ṣ = ص
ḥ = ح
z = ز
ẕ = ذ
ẓ = ظ
th = ث
kh = خ
sh = ش
j = ج
' = ع
' = ء

Long Vowels
ee = ي
ou = و
â = ا

Short Vowels
i = ـِ (كسرة)
u = ـُ (ضمة)
a = ـَ (فتحة)

'aw = أَوْ
wa = وَ
'ay = أَيْ
yâ = يا

Madd 6 ḥarakah | 4-5 ḥarakah | 2-4-6 ḥarakah | Ğunnah 2 ḥarakah | 'Idğâm | Tafkheem | Qalqal.

بِسۡمِ ٱللَّهِ ٱلرَّحۡمَٰنِ ٱلرَّحِيمِ

عَبَسَ وَتَوَلَّىٰٓ ١ أَن جَآءَهُ ٱلۡأَعۡمَىٰ ٢ وَمَا يُدۡرِيكَ لَعَلَّهُۥ يَزَّكَّىٰٓ ٣ أَوۡ
يَذَّكَّرُ فَتَنفَعَهُ ٱلذِّكۡرَىٰٓ ٤ أَمَّا مَنِ ٱسۡتَغۡنَىٰ ٥ فَأَنتَ لَهُۥ تَصَدَّىٰ ٦
وَمَا عَلَيۡكَ أَلَّا يَزَّكَّىٰ ٧ وَأَمَّا مَن جَآءَكَ يَسۡعَىٰ ٨ وَهُوَ يَخۡشَىٰ ٩ فَأَنتَ
عَنۡهُ تَلَهَّىٰ ١٠ كَلَّآ إِنَّهَا تَذۡكِرَةٞ ١١ فَمَن شَآءَ ذَكَرَهُۥ ١٢ فِي صُحُفٖ مُّكَرَّمَةٖ
١٣ مَّرۡفُوعَةٖ مُّطَهَّرَةِۭ ١٤ بِأَيۡدِي سَفَرَةٖ ١٥ كِرَامِۭ بَرَرَةٖ ١٦ قُتِلَ ٱلۡإِنسَٰنُ
مَآ أَكۡفَرَهُۥ ١٧ مِنۡ أَيِّ شَيۡءٍ خَلَقَهُۥ ١٨ مِن نُّطۡفَةٍ خَلَقَهُۥ فَقَدَّرَهُۥ ١٩ ثُمَّ
ٱلسَّبِيلَ يَسَّرَهُۥ ٢٠ ثُمَّ أَمَاتَهُۥ فَأَقۡبَرَهُۥ ٢١ ثُمَّ إِذَا شَآءَ أَنشَرَهُۥ ٢٢ كَلَّا لَمَّا
يَقۡضِ مَآ أَمَرَهُۥ ٢٣ فَلۡيَنظُرِ ٱلۡإِنسَٰنُ إِلَىٰ طَعَامِهِۦٓ ٢٤ أَنَّا صَبَبۡنَا ٱلۡمَآءَ صَبّٗا
٢٥ ثُمَّ شَقَقۡنَا ٱلۡأَرۡضَ شَقّٗا ٢٦ فَأَنۢبَتۡنَا فِيهَا حَبّٗا ٢٧ وَعِنَبٗا وَقَضۡبٗا ٢٨
وَزَيۡتُونٗا وَنَخۡلٗا ٢٩ وَحَدَآئِقَ غُلۡبٗا ٣٠ وَفَٰكِهَةٗ وَأَبّٗا ٣١ مَّتَٰعٗا لَّكُمۡ
وَلِأَنۡعَٰمِكُمۡ ٣٢ فَإِذَا جَآءَتِ ٱلصَّآخَّةُ ٣٣ يَوۡمَ يَفِرُّ ٱلۡمَرۡءُ مِنۡ أَخِيهِ ٣٤
وَأُمِّهِۦ وَأَبِيهِ ٣٥ وَصَٰحِبَتِهِۦ وَبَنِيهِ ٣٦ لِكُلِّ ٱمۡرِيٕٖ مِّنۡهُمۡ يَوۡمَئِذٖ شَأۡنٞ
يُغۡنِيهِ ٣٧ وُجُوهٞ يَوۡمَئِذٖ مُّسۡفِرَةٞ ٣٨ ضَاحِكَةٞ مُّسۡتَبۡشِرَةٞ ٣٩ وَوُجُوهٞ
يَوۡمَئِذٍ عَلَيۡهَا غَبَرَةٞ ٤٠ تَرۡهَقُهَا قَتَرَةٌ ٤١ أُوْلَٰٓئِكَ هُمُ ٱلۡكَفَرَةُ ٱلۡفَجَرَةُ ٤٢

Necessary prolongation 6 vowels	Permissible prolongation 2,4,6 vowels	Nazalization (ghunnah) 2 vowels	Emphatic pronunciation
Obligatory prolongation 4 or 5 vowels	Normal prolongation 2 vowels	Un announced (silent)	Unrest letters (Echoing Sound)

'Abasa, or He Frowned

In the name of Allah, Most Gracious, Most Merciful.

1. (The Prophet) frowned
and turned away, 2. Because
there came to him the blind
man (interrupting). 3. But
what could tell thee but that
perchance he might grow (in
spiritual understanding)?-
4. Or that he might receive
admonition, and the teaching
might profit him? 5. As to
one who regards himself as
self-sufficient, 6. To him dost
thou attend; 7. Though it is no
blame to thee if he grow not
(in spiritual understanding).
8. But as to him who came
to thee striving earnestly,
9. And with fear (in his heart),
10. Of him wast thou
unmindful. 11. By no
means (should it be
so)! For it is indeed a
Message of instruction:
12. Therefore let who so will,
keep it in remembrance.
13. (It is) in Books held
(greatly) in honour,
14. Exalted (in dignity), kept
pure and holy, 15. (Written)
by the hands of scribes
16. Honorable and Pious and
Just. 17. Woe to man! What
hath made him reject Allah?
18. From what stuff hath
He created him? 19. From a
spermdrop: He hath created
him, and then mouldeth him
n due proportions; 20. Then doth He make his path smooth for him; 21. Then He causeth him to die, and putteth him in his Grave;
2. Then, when it is His Will, He will raise him up (again). 23. By no means hath he fulfilled what Allah hath commanded him.
4. Then let man look at his Food, (and how We provide it): 25. For that We pour forth water in abundance, 26. And We split
he earth in fragments, 27. And produce therein Corn, 28. And Grapes and nutritious Plants, 29. And Olives and Dates, 30. And
nclosed Gardens, dense with lofty trees, 31. And Fruits and Fodder, 32. For use and convenience to you and your cattle. 33. At
ength, when there comes the Deafening Noise, 34. That Day shall a man flee from his own brother, 35. And from his mother and
is father, 36. And from his wife and his children. 37. Each one of them, that Day, will have enough concern (of his own) to make
im indifferent to the others. 38. Some Faces that Day will be beaming, 39. Laughing, rejoicing. 40. And other faces that Day will
e dust- stained; 41. Blackness will cover them: 42. Such will be the Rejecters of Allah, the Doers of Iniquity.

q̇ = ق
ḍ = ض
ġ = غ
ṭ = ط
‘Abasa
s = س
ṣ = ص
ḥ = ح
z = ز
ẓ = ذ
ẓ̱ = ظ
th = ث
kh = خ
sh = ش
j = ج
‘ = ع
' = ء
Long Vowels
ee = ي
ou = و
â = ا
Short Vowels
i = ِ (كسرة)
u = ُ (ضمة)
a = َ (فتحة)

'aw = أَوْ
wa = وَ
'ay = أَيْ
yâ = يا

Bismi-LLâhir-Raḥmânir-Raḥeem

‘ABASA wa tawallâ (1) 'An-jâ-'ahul-'a‘-mâ (2)
Wa mâ yudreeka la-‘allahou yazzakkâ (3) 'Aw
yaẓẓakkaru fatanfa-‘ahuẓ-Ẓikrâ (4) 'Ammâ manis-
taġnâ (5) Fa-'anta lahou taṣaddâ (6) Wa mâ ‘alayka
'allâ yazzakkâ (7) Wa 'ammâ man-jâ-'aka yas-‘â (8)
Wa huwa yakhshâ (9) Fa-'anta ‘anhu talahhâ (10)
Kallâ 'innahâ Taẓkirah (11) Faman-shâ-'a ẓakarah
(12) Fee ṣuḥufim-mukarramah (13) Marfou-‘atim-
muṭahharah (14) Bi-'aydee safarah (15) Kirâmim-
bararah (16) Q̇utilal-'insânu mâ 'akfarah (17) Min
'ayyi shay-'in khalaq̇ah (18) Min-nuṭfatin khalaq̇ahou
faq̇addarah (19) Thummas-sabeela yassarah (20)
Thumma 'amâtahou fa-'aq̇barah (21) Thumma 'iẓâ shâ-
'a 'an-sharah (22) Kallâ lammâ yaq̇ḍi mâ 'amarah (23)
Fal-yanẓuril-'insânu 'ilâ Ṭa-‘âmih (24) 'Annâ ṣababnal-
mâ-'a ṣabbâ (25) Thumma shaq̇aq̇nal-'arḍa shaq̇q̇â
(26) Fa-'am-batnâ feehâ Ḥabbâ (27) Wa ‘inabanw-
wa q̇aḍbâ (28) Wa zay-tounanw-wa nakhlâ (29) Wa
ḥadâ-'iq̇a ġulbâ (30) Wa fâkihatanw-wa 'abbâ (31)
Matâ-‘al-lakum wa li-'an-‘âmikum (32) Fa-'iẓâ jâ-'atiṣ-
Ṣâkhkhah- (33) Yawma yafirrulmar-'u min 'akheeh
(34) Wa 'ummihee wa 'abeeh (35) Wa ṣâḥibatihee wa
baneeh (36) Li-kullimri-'im-minhum Yawma-'iẓin-
sha'-nuny-yuġneeh (37) Wujouhuny-yawma-'iẓim-
musfirah (38) Ḍâḥikatum-mustabshirah (39) Wa wu-
jouhuny-yawma-'iẓin ‘alayhâ ġabarah (40) Tarhaq̇uhâ
q̇atarah (41) 'Ulâ-'ika humul-kafara-tul-Fajarah (42)

Madd 6 ḥarakah | 4-5 ḥarakah | 2-4-6 ḥarakah | Ġunnah 2 ḥarakah | 'Idġâm | Tafkheem | Q̇alq̇alah

آياتها ٢٩ — سُورَةُ التَّكۡوِيرِ — ترتيبها ٨١

بِسۡمِ ٱللَّهِ ٱلرَّحۡمَٰنِ ٱلرَّحِيمِ

إِذَا ٱلشَّمۡسُ كُوِّرَتۡ ﴿١﴾ وَإِذَا ٱلنُّجُومُ ٱنكَدَرَتۡ ﴿٢﴾ وَإِذَا ٱلۡجِبَالُ
سُيِّرَتۡ ﴿٣﴾ وَإِذَا ٱلۡعِشَارُ عُطِّلَتۡ ﴿٤﴾ وَإِذَا ٱلۡوُحُوشُ حُشِرَتۡ
﴿٥﴾ وَإِذَا ٱلۡبِحَارُ سُجِّرَتۡ ﴿٦﴾ وَإِذَا ٱلنُّفُوسُ زُوِّجَتۡ ﴿٧﴾ وَإِذَا
ٱلۡمَوۡءُۥدَةُ سُئِلَتۡ ﴿٨﴾ بِأَيِّ ذَنۢبٖ قُتِلَتۡ ﴿٩﴾ وَإِذَا ٱلصُّحُفُ نُشِرَتۡ
﴿١٠﴾ وَإِذَا ٱلسَّمَآءُ كُشِطَتۡ ﴿١١﴾ وَإِذَا ٱلۡجَحِيمُ سُعِّرَتۡ ﴿١٢﴾ وَإِذَا ٱلۡجَنَّةُ
أُزۡلِفَتۡ ﴿١٣﴾ عَلِمَتۡ نَفۡسٞ مَّآ أَحۡضَرَتۡ ﴿١٤﴾ فَلَآ أُقۡسِمُ بِٱلۡخُنَّسِ ﴿١٥﴾
ٱلۡجَوَارِ ٱلۡكُنَّسِ ﴿١٦﴾ وَٱلَّيۡلِ إِذَا عَسۡعَسَ ﴿١٧﴾ وَٱلصُّبۡحِ إِذَا تَنَفَّسَ ﴿١٨﴾
إِنَّهُۥ لَقَوۡلُ رَسُولٖ كَرِيمٖ ﴿١٩﴾ ذِي قُوَّةٍ عِندَ ذِي ٱلۡعَرۡشِ مَكِينٖ ﴿٢٠﴾ مُّطَاعٖ
ثَمَّ أَمِينٖ ﴿٢١﴾ وَمَا صَاحِبُكُم بِمَجۡنُونٖ ﴿٢٢﴾ وَلَقَدۡ رَءَاهُ بِٱلۡأُفُقِ ٱلۡمُبِينِ
﴿٢٣﴾ وَمَا هُوَ عَلَى ٱلۡغَيۡبِ بِضَنِينٖ ﴿٢٤﴾ وَمَا هُوَ بِقَوۡلِ شَيۡطَٰنٖ رَّجِيمٖ ﴿٢٥﴾
فَأَيۡنَ تَذۡهَبُونَ ﴿٢٦﴾ إِنۡ هُوَ إِلَّا ذِكۡرٞ لِّلۡعَٰلَمِينَ ﴿٢٧﴾ لِمَن شَآءَ مِنكُمۡ أَن
يَسۡتَقِيمَ ﴿٢٨﴾ وَمَا تَشَآءُونَ إِلَّآ أَن يَشَآءَ ٱللَّهُ رَبُّ ٱلۡعَٰلَمِينَ ﴿٢٩﴾

آياتها ١٩ — سُورَةُ الانفِطَارِ — ترتيبها ٨٢

● Necessary prolongation 6 vowels	● Permissible prolongation 2,4,6 vowels	● Nazalization (ghunnah) 2 vowels	● Emphatic pronunciation
● Obligatory prolongation 4 or 5 vowels	● Normal prolongation 2 vowels	● Un announced (silent)	● Unrest letters (Echoing Sound)

Takwir, or the Folding Up

In the name of Allah, Most Gracious, Most Merciful.

1. When the sun (with its spacious light) is folded up; 2. When the stars fall, losing their lustre; 3. When the mountains vanish (like a mirage); 4. When the she-camels, ten months with young, are left untended; 5. When the wild beasts are herded together (in human habitations); 6. When the oceans boil over with a swell; 7. When the souls are sorted out, (being joined, like with like); 8. When the female (infant), buried alive, is questioned- 9. For what crime she was killed; 10. When the Scrolls are laid open; 11. When the World on High is unveiled; 12. When the Blazing Fire is kindled to fierce heat; 13. And when the Garden is brought near;- 14. (Then) shall each soul know what it has put forward. 15. So verily I call to witness the Planets- that recede, 16. Go straight, or hide; 17. And the Night as it dissipates; 18. And the Dawn as it breathes awaythe darkness;- 19. Verily this is the word of a most honorable Messenger, 20. Endued with Power, with rank before the Lord of the Throne, 21. With authority there, (and) faithful to his trust. 22. And (O people!) Your Companion is not one possessed; 23. And without doubt he saw him in the clear horizon. 24. Neither doth he withhold grudgingly a knowledge of the Unseen. 25. Nor is it the word of an evil spirit accursed. 26. Then whither go ye? 27. Verily this is no less than a Message to (all) the Worlds: 28. (With profit) to whoever among you wills to go straight: 29. But ye shall not will except as Allah wills,- the Cherisher of the Worlds.

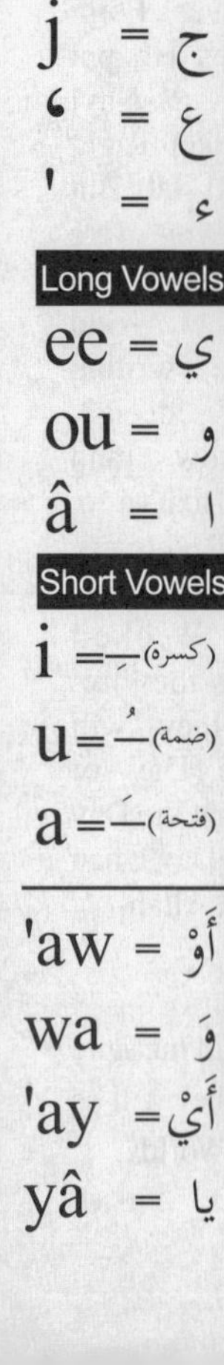

Bismi-LLâhir-Raḥmânir-Raḥeem

'Iẓash-Shamsu kuwwirat (1) Wa 'iẓan-nujou-
munkadarat (2) Wa 'iẓal-jibâlu suyyirat (3) Wa 'iẓal-
'ishâru 'uṭṭilat (4) Wa 'iẓal-wuḥoushu ḥushirat (5) Wa
'iẓal-biḥâru sujjirat (6) Wa 'iẓan-nufousu zuwwijat
(7) Wa 'iẓal-maw-'oudatu su-'ilat (8) Bi-'ayyi ẓambin-
q̇utilat (9) Wa 'iẓaṣ-ṣuḥufu nushirat (10) Wa 'iẓas-
samâ-'u kushiṭat (11) Wa 'iẓal-Jaḥeemu su'-'irat (12)
Wa 'iẓal-Jannatu 'uzlifat (13) 'Alimat nafsum-mâ-
'aḥḍarat (14) Fa-lâ 'uq̇simu bil-khunnas (15) 'Al-jawâril-
kunnas (16) Wal-Layli 'iẓâ 'as-'as (17) Waṣ-ṣubḥi 'iẓâ
tanaffas (18) 'Innahou la-q̇awlu Rasoulin-Kareem (19)
Ẓee-q̇uw-watin 'inda Ẓil-'Arshi makeen (20) Muṭâ-
'in-thamma 'Ameen (21) Wa mâ Ṣâḥibukum-bi-
majnoun (22) Wa laq̇ad ra-'âhu bil-'ufuq̇il-mubeen (23)
Wa mâ huwa 'alal-ġaybi bi-ḍaneen (24) Wa mâ huwa
bi-q̇awli-Shayṭânir-rajeem (25) Fa-'ayna taẓhaboun
(26) 'In huwa 'illâ Ẓikrul-lil-'âlameen (27) Liman-
shâ'a minkum 'any-yastaq̇eem (28) Wa mâ tashâ-
'ouna 'illâ 'any-yashâ-'a-LLâhu Rabbul-'Âlameen (29)

'INFIṬÂR

19 'Âyah — № 82

Madd 6 ḥarakah | 4-5 ḥarakah | 2-4-6 ḥarakah | Ġunnah 2 ḥarakah | 'Idġâm | Tafkheem | Q̇alq̇alah

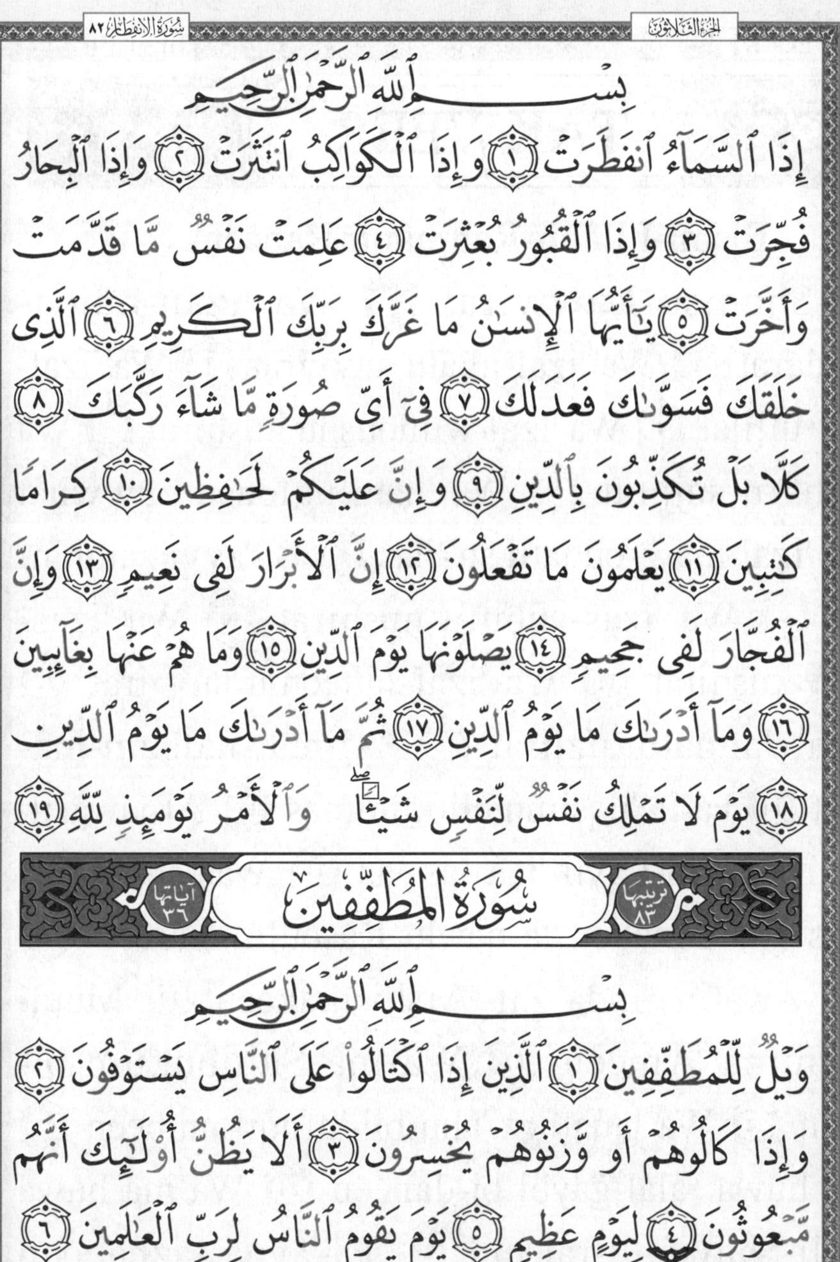

نصف الحزب ٥٩

بِسْمِ اللَّهِ الرَّحْمَٰنِ الرَّحِيمِ

إِذَا السَّمَاءُ انفَطَرَتْ ﴿١﴾ وَإِذَا الْكَوَاكِبُ انتَثَرَتْ ﴿٢﴾ وَإِذَا الْبِحَارُ
فُجِّرَتْ ﴿٣﴾ وَإِذَا الْقُبُورُ بُعْثِرَتْ ﴿٤﴾ عَلِمَتْ نَفْسٌ مَّا قَدَّمَتْ
وَأَخَّرَتْ ﴿٥﴾ يَا أَيُّهَا الْإِنسَانُ مَا غَرَّكَ بِرَبِّكَ الْكَرِيمِ ﴿٦﴾ الَّذِي
خَلَقَكَ فَسَوَّاكَ فَعَدَلَكَ ﴿٧﴾ فِي أَيِّ صُورَةٍ مَّا شَاءَ رَكَّبَكَ ﴿٨﴾
كَلَّا بَلْ تُكَذِّبُونَ بِالدِّينِ ﴿٩﴾ وَإِنَّ عَلَيْكُمْ لَحَافِظِينَ ﴿١٠﴾ كِرَامًا
كَاتِبِينَ ﴿١١﴾ يَعْلَمُونَ مَا تَفْعَلُونَ ﴿١٢﴾ إِنَّ الْأَبْرَارَ لَفِي نَعِيمٍ ﴿١٣﴾ وَإِنَّ
الْفُجَّارَ لَفِي جَحِيمٍ ﴿١٤﴾ يَصْلَوْنَهَا يَوْمَ الدِّينِ ﴿١٥﴾ وَمَا هُمْ عَنْهَا بِغَائِبِينَ
﴿١٦﴾ وَمَا أَدْرَاكَ مَا يَوْمُ الدِّينِ ﴿١٧﴾ ثُمَّ مَا أَدْرَاكَ مَا يَوْمُ الدِّينِ
﴿١٨﴾ يَوْمَ لَا تَمْلِكُ نَفْسٌ لِّنَفْسٍ شَيْئًا ۖ وَالْأَمْرُ يَوْمَئِذٍ لِّلَّهِ ﴿١٩﴾

سُورَةُ الْمُطَفِّفِينَ — ترتيبها ٨٣ — آياتها ٣٦

بِسْمِ اللَّهِ الرَّحْمَٰنِ الرَّحِيمِ

وَيْلٌ لِّلْمُطَفِّفِينَ ﴿١﴾ الَّذِينَ إِذَا اكْتَالُوا عَلَى النَّاسِ يَسْتَوْفُونَ ﴿٢﴾
وَإِذَا كَالُوهُمْ أَو وَّزَنُوهُمْ يُخْسِرُونَ ﴿٣﴾ أَلَا يَظُنُّ أُولَٰئِكَ أَنَّهُم
مَّبْعُوثُونَ ﴿٤﴾ لِيَوْمٍ عَظِيمٍ ﴿٥﴾ يَوْمَ يَقُومُ النَّاسُ لِرَبِّ الْعَالَمِينَ ﴿٦﴾

● Necessary prolongation 6 vowels	● Permissible prolongation 2,4,6 vowels	● Nazalization (ghunnah) 2 vowels	● Emphatic pronunciation
● Obligatory prolongation 4 or 5 vowels	● Normal prolongation 2 vowels	● Un announced (silent)	● Unrest letters (Echoing Sound)

Infitar or The Cleaving Asunder

In the name of Allah, Most Gracious, Most Merciful.

1. When the Sky is cleft asunder; 2. When the Stars are scattered; 3. When the Oceans are suffered to burst forth; 4. And when the Graves are turned upside down;- 5. (Then) shall each soul know what it hath sent forward and (what it hath) kept back 6. O man! what has seduced thee from thy Lord Most Beneficent?- 7. Him Who created thee, fashioned thee in due proportion, and gave thee a just bias; 8. In whatever Form He wills, does He put thee together. 9. Nay! but ye do reject Right and Judgment! 10. But verily over you (are appointed angels) to protect you, 11. Kind and honorable,- writing down (your deeds): 12. They know (and understand) all that ye do. 13. As for the Righteous, they will be in Bliss; 14. And the Wicked they will be in the Fire, 15. Which they will enter on the Day of Judgment, 16. And they will not be able to keep away therefrom. 17. And what will explain to thee what the Day of Judgment is? 18. Again, what will explain to thee what the Day of Judgment is? 19. (It will be) the Day when no soul shall have power (to do) aught for another: for the Command, that Day, will be (wholly) with Allah.

Tatfif, or Dealing in Fraud

In the name of Allah, Most Gracious, Most Merciful.

1. Woe to those that deal in fraud,- 2. Those who, when they have to receive by measure from men, exact full measure 3. But when they have to give by measure or weight to men, give less than due. 4. Do they not think that they will be called to account?- 5. On a Mighty Day, 6. A Day when (all) mankind will stand before the Lord of the Worlds?

q̇ = ق
ḍ = ض
ġ = غ
ṭ = ط
s = س
ṣ = ص
'Infiṭâr
ḥ = ح
z = ز
ẓ = ذ
ẓ̣ = ظ
th = ث
kh = خ
sh = ش
j = ج
ʻ = ع
' = ء
Long Vowels
ee = ي
ou = و
â = ا
Short Vowels
i = (كسرة)
u = (ضمة)
a = (فتحة)

'aw = أَوْ
wa = وَ
'ay = أَيْ
yâ = يا

Bismi-LLâhir-Raḥmânir-Raḥeem

'Iẓas-Samâ-'unfaṭarat (1) Wa 'iẓal-kawâkibuntatharat
(2) Wa 'iẓal-biḥâru fujjirat (3) Wa 'iẓal-q̇ubouru
bu'thirat (4) 'Alimat nafsum-mâ q̇addamat wa
'akh-kharat (5) Yâ 'ayyuhal-'insânu mâ ġarraka
bi-Rabbikal-Kareem (6) 'Allaẓee khalaq̇aka
fasawwâka fa'adalak (7) Fee 'ayyi ṣouratim-
mâ shâ'a rakkabak (8) Kallâ bal tukaẓẓibouna
biddeen (9) Wa 'inna 'alaykum laḥâ-fiẓeen (10)
Kirâman-Kâtibeen (11) Ya'lamouna mâ taf-'aloun
(12) 'Innal-'abrâra lafee na'eem (13) Wa 'innal-
fujjâra lafee Jaḥeem (14) Yaṣlawnahâ yawmaddeen
(15) Wa mâ hum 'anhâ biġâ'ibeen (16) Wa mâ
'adrâka mâ yawmuddeen (17) Thumma mâ 'adrâka
mâ Yawmuddeen (18) Yawma lâ tamliku nafsul-
linafsin-shay-'â; wal-'amru yawma'iẓilli-LLâh (19)

36 'Âyah MUṬAFFIFEEN (TAṬFEEF) № 83

Bismi-LLâhir-Raḥmânir-Raḥeem

Waylul-lil-muṭaffifeen (1) 'Allaẓeena 'iẓak-tâlou
'alan-nâsi yastawfoun (2) Wa 'iẓâ kâlouhum 'awwa-
zanouhum yukhsiroun (3) 'Alâ yaẓunnu 'ulâ-'ika
'annahum-mab-'outhoun (4) Li-Yawmin 'Aẓeem
(5) Yawma yaq̇oumun-nâsu li-Rabbil-'Âlameen (6)

Madd 6 ḥarakah · 4-5 ḥarakah · 2-4-6 ḥarakah · Ġunnah 2 ḥarakah · 'Idġâm · Tafkheem · Q̇alq̇alah

كَلَّآ إِنَّ كِتَٰبَ ٱلْفُجَّارِ لَفِى سِجِّينٍ ﴿٧﴾ وَمَآ أَدْرَىٰكَ مَا سِجِّينٌ ﴿٨﴾ كِتَٰبٌ
مَّرْقُومٌ ﴿٩﴾ وَيْلٌ يَوْمَئِذٍ لِّلْمُكَذِّبِينَ ﴿١٠﴾ ٱلَّذِينَ يُكَذِّبُونَ بِيَوْمِ ٱلدِّينِ ﴿١١﴾
وَمَا يُكَذِّبُ بِهِۦٓ إِلَّا كُلُّ مُعْتَدٍ أَثِيمٍ ﴿١٢﴾ إِذَا تُتْلَىٰ عَلَيْهِ ءَايَٰتُنَا قَالَ أَسَٰطِيرُ
ٱلْأَوَّلِينَ ﴿١٣﴾ كَلَّا ۖ بَلْ ۜ رَانَ عَلَىٰ قُلُوبِهِم مَّا كَانُوا۟ يَكْسِبُونَ ﴿١٤﴾ كَلَّآ إِنَّهُمْ
عَن رَّبِّهِمْ يَوْمَئِذٍ لَّمَحْجُوبُونَ ﴿١٥﴾ ثُمَّ إِنَّهُمْ لَصَالُوا۟ ٱلْجَحِيمِ ﴿١٦﴾ ثُمَّ يُقَالُ
هَٰذَا ٱلَّذِى كُنتُم بِهِۦ تُكَذِّبُونَ ﴿١٧﴾ كَلَّآ إِنَّ كِتَٰبَ ٱلْأَبْرَارِ لَفِى عِلِّيِّينَ
﴿١٨﴾ وَمَآ أَدْرَىٰكَ مَا عِلِّيُّونَ ﴿١٩﴾ كِتَٰبٌ مَّرْقُومٌ ﴿٢٠﴾ يَشْهَدُهُ ٱلْمُقَرَّبُونَ
﴿٢١﴾ إِنَّ ٱلْأَبْرَارَ لَفِى نَعِيمٍ ﴿٢٢﴾ عَلَى ٱلْأَرَآئِكِ يَنظُرُونَ ﴿٢٣﴾ تَعْرِفُ فِى
وُجُوهِهِمْ نَضْرَةَ ٱلنَّعِيمِ ﴿٢٤﴾ يُسْقَوْنَ مِن رَّحِيقٍ مَّخْتُومٍ ﴿٢٥﴾
خِتَٰمُهُۥ مِسْكٌ ۚ وَفِى ذَٰلِكَ فَلْيَتَنَافَسِ ٱلْمُتَنَٰفِسُونَ ﴿٢٦﴾ وَمِزَاجُهُۥ
مِن تَسْنِيمٍ ﴿٢٧﴾ عَيْنًا يَشْرَبُ بِهَا ٱلْمُقَرَّبُونَ ﴿٢٨﴾ إِنَّ ٱلَّذِينَ
أَجْرَمُوا۟ كَانُوا۟ مِنَ ٱلَّذِينَ ءَامَنُوا۟ يَضْحَكُونَ ﴿٢٩﴾ وَإِذَا مَرُّوا۟ بِهِمْ
يَتَغَامَزُونَ ﴿٣٠﴾ وَإِذَا ٱنقَلَبُوٓا۟ إِلَىٰٓ أَهْلِهِمُ ٱنقَلَبُوا۟ فَكِهِينَ ﴿٣١﴾
وَإِذَا رَأَوْهُمْ قَالُوٓا۟ إِنَّ هَٰٓؤُلَآءِ لَضَآلُّونَ ﴿٣٢﴾ وَمَآ أُرْسِلُوا۟ عَلَيْهِمْ
حَٰفِظِينَ ﴿٣٣﴾ فَٱلْيَوْمَ ٱلَّذِينَ ءَامَنُوا۟ مِنَ ٱلْكُفَّارِ يَضْحَكُونَ ﴿٣٤﴾

● Necessary prolongation 6 vowels	● Permissible prolongation 2,4,6 vowels	● Nazalization (ghunnah) 2 vowels	● Emphatic pronunciation
● Obligatory prolongation 4 or 5 vowels	● Normal prolongation 2 vowels	● Un announced (silent)	● Unrest letters (Echoing Sound)

7. Nay! Surely the
Record of the Wicked
is (preserved) in Sijjin.
8. And what will explain
to thee what Sijjin is?
9. (There is) a Register
(fully) inscribed.
سكتة لطيفة على اللام
10. Woe, that Day,
to those that deny-
11. Those that deny
the Day of Judgment.
12. And none can deny
it but the transgressor
beyond bounds, the
sinner! 13. When Our
Signs are rehearsed to
him, he says, "Tales of
the Ancients!" 14. By
no means! But on their
hearts is the stain of
the (ill) which they do!
15. Verily, from (the
Light of) their Lord,
that Day, will they be
veiled. 16. Further, they
will enter the Fire of
Hell. 17. Further, it will
be said to them: "This
is the (reality) which
ye rejected as false!
18. Nay, verily the
Record of the Righteous
is (preserved) in 'Illiyin.
19. And what will
explain to thee what
'Illiyin is? 20. (There
is) a Register (fully)
inscribed, 21. To which
bear witness those
Nearest (to Allah).
22. Truly the Righteous
will be in Bliss: 23. On
Thrones (of Dignity)
will they command a sight (of all things): 24. Thou wilt recognise in their Faces the beaming brightness of
Bliss. 25. Their thirst will be slaked with Pure Wine sealed: 26. The seal thereof will be musk: and for this
let those aspire, who have aspirations: 27. With it will be (given) a mixture of Tasnin: 28. A spring, from (the
waters) whereof drink those Nearest to Allah. 29. Those in sin used to laugh at those who believed, 30. And
whenever they passed by them, used to wink at each other (in mockery); 31. And when they returned to their
own people, they would return jesting; 32. And whenever they saw them, they would say, "Behold! These
are the people truly astray!" 33. But they had not been sent as Keepers over them! 34. But on this Day the
Believers will laugh at the Unbelievers:

q̇ = ق
ḍ = ض
ġ = غ
ṭ = ط
s = س
ṣ = ص
ḥ = ح

Muṭaffifeen

z = ز
ẓ = ذ
ẓ̱ = ظ
th = ث
kh = خ
sh = ش
j = ج
ʿ = ع
' = ء

Long Vowels

ee = ي
ou = و
â = ا

Short Vowels

i = ـِ (كسرة)
u = ـُ (ضمة)
a = ـَ (فتحة)

'aw = أَوْ
wa = وَ
'ay = أَيْ
yâ = يا

Kallâ 'inna Kitâbal-fujjâri lafee Sijjeen (7) Wa
mâ 'adrâka mâ Sijjeen (8) Kitâbum-marq̇oum (9)
Wayluny-yawma-'iẓil-lil-mukaẓẓibeen (10)
'Allaẓeena yukaẓẓibouna bi-Yawmid-Deen (11)
Wa mâ yukaẓẓibu bihee 'illâ kullu muʿ-tadin
'atheem (12) 'iẓâ tutlâ ʿalayhi 'Âyâtunâ q̇âla 'Asâṭeerul-
'Awwaleen (13) Kallâ; bal; râna ʿalâ q̇uloubihimmâ
kânou yaksiboun (14) Kallâ 'innahum ʿar-Rabbihim
Yawma-'iẓil-la-maḥ-jouboun (15) Thumma 'innahum
laṣâlul-Jaḥeem (16) Thumma yuq̇âlu hâẓal-laẓee
kuntum-bihee tukaẓẓiboun (17) Kallâ 'inna Kitâbal-
'Abrâri lafee ʿIlliyyeen (18) Wa mâ 'adrâka mâ
ʿIlliy-youn (19) Kitâbum-marq̇oum (20) Yash-hadu-
hul-Muq̇arraboun (21) 'Innal-'Abrâra lafee Na-
ʿeem (22) ʿAlal-'arâ-'iki yanẓ̱uroun (23) Taʿ-rifu fee
wujouhi-him naḍratan-Na-ʿeem (24) Yusq̇awna
mir-raḥeeq̇im-makhtoum (25) Khitâmuhou misk;
wa fee ẓâlika fal-yatanâfasil-muta-nâfisoun (26) Wa
mizâjuhou min-Tasneem (27) ʿAynany-yashrabu
bihal-Muq̇arraboun (28) 'Innallaẓeena 'ajramou
kânou minallaẓeena 'âmanou yaḍḥakoun (29) Wa
'iẓâ marrou bihim yataġâmazoun (30) Wa 'iẓan-
q̇alabou 'ilâ 'ahlihimun-q̇alabou fakiheen (31) Wa
'iẓâ ra-'awhum q̇âlou 'inna hâ-'ulâ-'i la-ḍâlloun
(32) Wa mâ 'ursilou ʿalayhim Ḥâfiẓeen (33) Fal-
Yawmallaẓeena 'âmanou minal-kuffâri yaḍḥakoun (34)

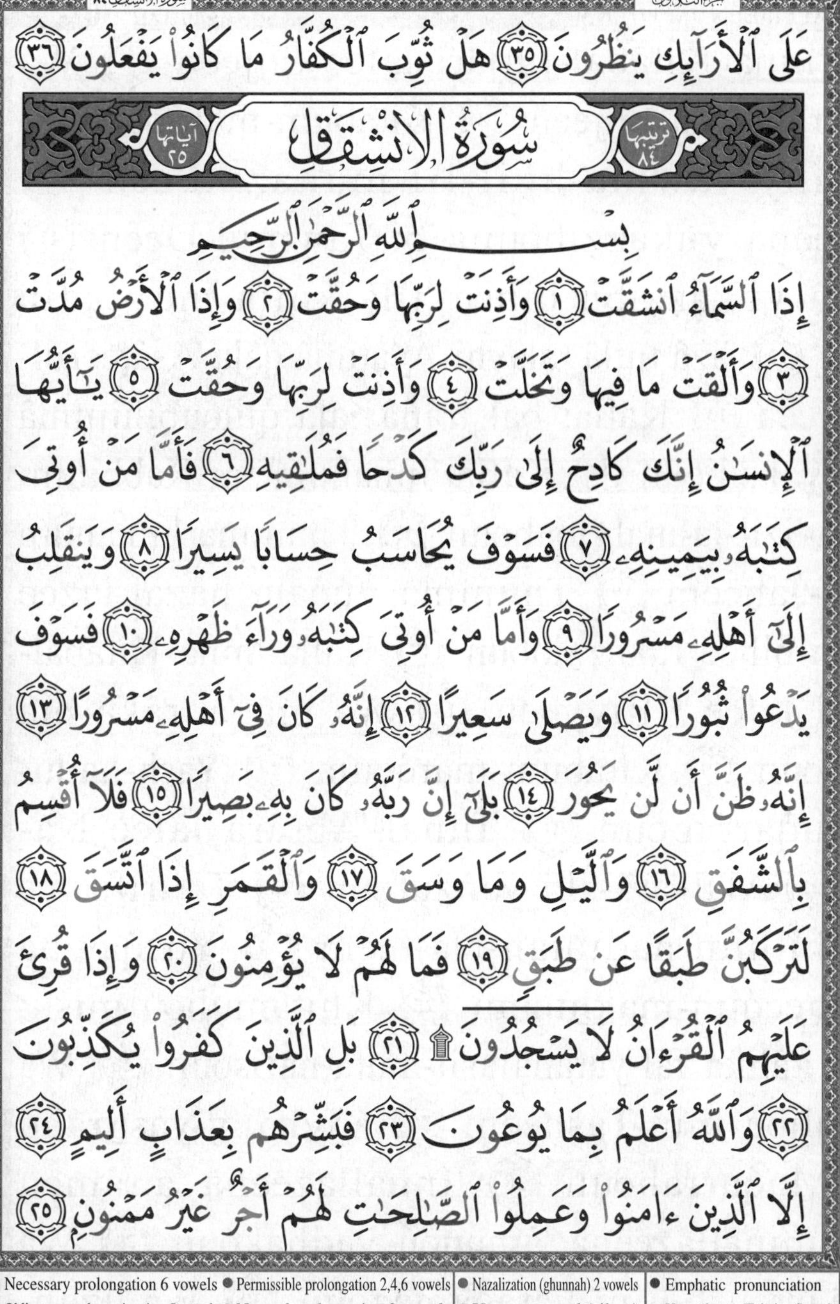

عَلَى ٱلْأَرَآئِكِ يَنظُرُونَ ﴿٣٥﴾ هَلْ ثُوِّبَ ٱلْكُفَّارُ مَا كَانُوا۟ يَفْعَلُونَ ﴿٣٦﴾

سُورَةُ الانشِقَاق — ترتيبها ٨٤ — آياتها ٢٥

بِسْمِ ٱللَّهِ ٱلرَّحْمَٰنِ ٱلرَّحِيمِ

إِذَا ٱلسَّمَآءُ ٱنشَقَّتْ ﴿١﴾ وَأَذِنَتْ لِرَبِّهَا وَحُقَّتْ ﴿٢﴾ وَإِذَا ٱلْأَرْضُ مُدَّتْ
﴿٣﴾ وَأَلْقَتْ مَا فِيهَا وَتَخَلَّتْ ﴿٤﴾ وَأَذِنَتْ لِرَبِّهَا وَحُقَّتْ ﴿٥﴾ يَٰٓأَيُّهَا
ٱلْإِنسَٰنُ إِنَّكَ كَادِحٌ إِلَىٰ رَبِّكَ كَدْحًا فَمُلَٰقِيهِ ﴿٦﴾ فَأَمَّا مَنْ أُوتِىَ
كِتَٰبَهُۥ بِيَمِينِهِۦ ﴿٧﴾ فَسَوْفَ يُحَاسَبُ حِسَابًا يَسِيرًا ﴿٨﴾ وَيَنقَلِبُ
إِلَىٰٓ أَهْلِهِۦ مَسْرُورًا ﴿٩﴾ وَأَمَّا مَنْ أُوتِىَ كِتَٰبَهُۥ وَرَآءَ ظَهْرِهِۦ ﴿١٠﴾ فَسَوْفَ
يَدْعُوا۟ ثُبُورًا ﴿١١﴾ وَيَصْلَىٰ سَعِيرًا ﴿١٢﴾ إِنَّهُۥ كَانَ فِىٓ أَهْلِهِۦ مَسْرُورًا ﴿١٣﴾
إِنَّهُۥ ظَنَّ أَن لَّن يَحُورَ ﴿١٤﴾ بَلَىٰٓ إِنَّ رَبَّهُۥ كَانَ بِهِۦ بَصِيرًا ﴿١٥﴾ فَلَآ أُقْسِمُ
بِٱلشَّفَقِ ﴿١٦﴾ وَٱلَّيْلِ وَمَا وَسَقَ ﴿١٧﴾ وَٱلْقَمَرِ إِذَا ٱتَّسَقَ ﴿١٨﴾
لَتَرْكَبُنَّ طَبَقًا عَن طَبَقٍ ﴿١٩﴾ فَمَا لَهُمْ لَا يُؤْمِنُونَ ﴿٢٠﴾ وَإِذَا قُرِئَ
عَلَيْهِمُ ٱلْقُرْءَانُ لَا يَسْجُدُونَ ۩ ﴿٢١﴾ بَلِ ٱلَّذِينَ كَفَرُوا۟ يُكَذِّبُونَ
﴿٢٢﴾ وَٱللَّهُ أَعْلَمُ بِمَا يُوعُونَ ﴿٢٣﴾ فَبَشِّرْهُم بِعَذَابٍ أَلِيمٍ ﴿٢٤﴾
إِلَّا ٱلَّذِينَ ءَامَنُوا۟ وَعَمِلُوا۟ ٱلصَّٰلِحَٰتِ لَهُمْ أَجْرٌ غَيْرُ مَمْنُونٍ ﴿٢٥﴾

• Necessary prolongation 6 vowels • Permissible prolongation 2,4,6 vowels • Nazalization (ghunnah) 2 vowels • Emphatic pronunciation
• Obligatory prolongation 4 or 5 vowels • Normal prolongation 2 vowels • Un announced (silent) • Unrest letters (Echoing Sound)

35. On Thrones (of Dignity) they will command (a sight) (of all things). 36. Will not the Unbelievers have been paid back for what they did?

Inshiqaq, or The Rending Asunder

In the name of Allah, Most Gracious, Most Merciful.

1. When the Sky is rent asunder, 2. And hearkens to (the Command of) its Lord, and it must needs (do so);- 3. And when the Earth is flattened out, 4. And casts forth what is within it and becomes (clean) empty, 5. And hearkens to (the Command of) its Lord,- and it must needs (do so);- (then will come home the full Reality). 6. O thou man! Verily thou art ever toiling on towards thy Lord- painfully toiling,- but thou shalt meet Him. 7. Then he who is given His Record in his right hand, 8. Soon will his account be taken by an easy reckoning, 9. And he will turn to his people, rejoicing! 10. But he who is given His Record behind his back,- 11. Soon will he cry for Perdition, 12. And he will enter a Blazing Fire. 13. Truly, did he go about among his people, rejoicing! 14. Truly, did he think that he would not have to return (to Us)! 15. Nay, nay! for his Lord was (ever) watchful of him! 16. So I do call to witness the ruddy glow of Sunset; 17. The Night and its Homing; 18. And the Moon in her Fulness: 19. Ye shall surely travel from stage to stage. 20. What then is the matter with them, that they believe not?- 21. And when the Qur-an is read to them, they fall not prostrate, 22. But on the contrary the Unbelievers reject (it). 23. But Allah has full Knowledge of what they secrete (in their breasts) 24. So announce to them a Penalty Grievous, 25. Except to those who believe and work righteous deeds: for them is a Reward that will never fail.

q̇ = ق
ḍ = ض
ġ = غ
ṭ = ط
s = س
ṣ = ص
ḥ = ح
z = ز

'Ins͟hiq̇âq̇

ẓ = ذ
z̤ = ظ
t͟h = ث
k͟h = خ
s͟h = ش
j = ج
ʻ = ع
' = ء

Long Vowels

ee = ي
ou = و
â = ا

Short Vowels

i = ـِ (كسرة)
u = ـُ (ضمة)
a = ـَ (فتحة)

'aw = أَوْ
wa = وَ
'ay = أَيْ
yâ = يا

ʻAlal-'arâ-'iki yanz̤uroun (35) Hal-t͟huw-
wibal-kuffâru mâ kânou yaf-ʻaloun (36)

'INS͟HIQ̇ÂQ̇

25 'Âyah — № 84

Bismi-LLâhir-Raḥmânir-Raḥeem

'Iẓas-Samâ-'uns͟haq̇q̇at (1) Wa 'aẓinat li-Rabbihâ
wa ḥuq̇q̇at (2) Wa 'iẓal-'arḍu muddat (3) Wa 'alq̇at
mâ feehâ wa tak͟hallat (4) Wa 'aẓinat li-Rabbihâ
wa ḥuq̇q̇at (5) Yâ-'ayyuhal-'insânu 'innaka kâdiḥun
'ilâ Rabbika kadḥan-fa-mulâq̇eeh (6) Fa-'ammâ
man 'outiya Kitâbahou biyameenih (7) Fasawfa
yuḥâsabu ḥisâbany-yaseerâ (8) Wa yanq̇alibu
'ilâ 'ahlihee masrourâ (9) Wa 'ammâ man 'outiya
Kitâbahou warâ-'a z̤ahrih (10) Fasawfa yad-ʻou
t͟hubourâ (11) Wa yaṣlâ Sa-ʻeerâ (12) 'Innahou kâna
fee 'ahlihee masrourâ (13) 'Innahou z̤anna 'allany-
yaḥour (14) Balâ 'inna Rabbahou kâna bihee Baṣeerâ
(15) Falâ 'uq̇simu bis͟h-S͟hafaq̇ (16) Wallayli wa
mâ wasaq̇ (17) Wal-Q̇amari 'iẓat-tasaq̇ (18) La-
tarkabunna ṭabaq̇an ʻan-ṭabaq̇ (19) Famâ lahum lâ
yu'-minoun (20) Wa 'iẓâ q̇uri-'a ʻalayhi-mul-Q̇ur-
'ânu lâ yasjudoun (21) Balil-laẓeena kafarou
yukaẓẓiboun (22) Wa-LLâhu 'Aʻ-lamu bimâ
you-ʻoun (23) Fa-bas͟hs͟hirhum-bi-ʻAẓâbin
'aleem (24) 'Illallaẓeena 'âmanou wa ʻamiluṣ-
ṣâliḥâti lahum 'Ajrun ġayru mamnoun (25)

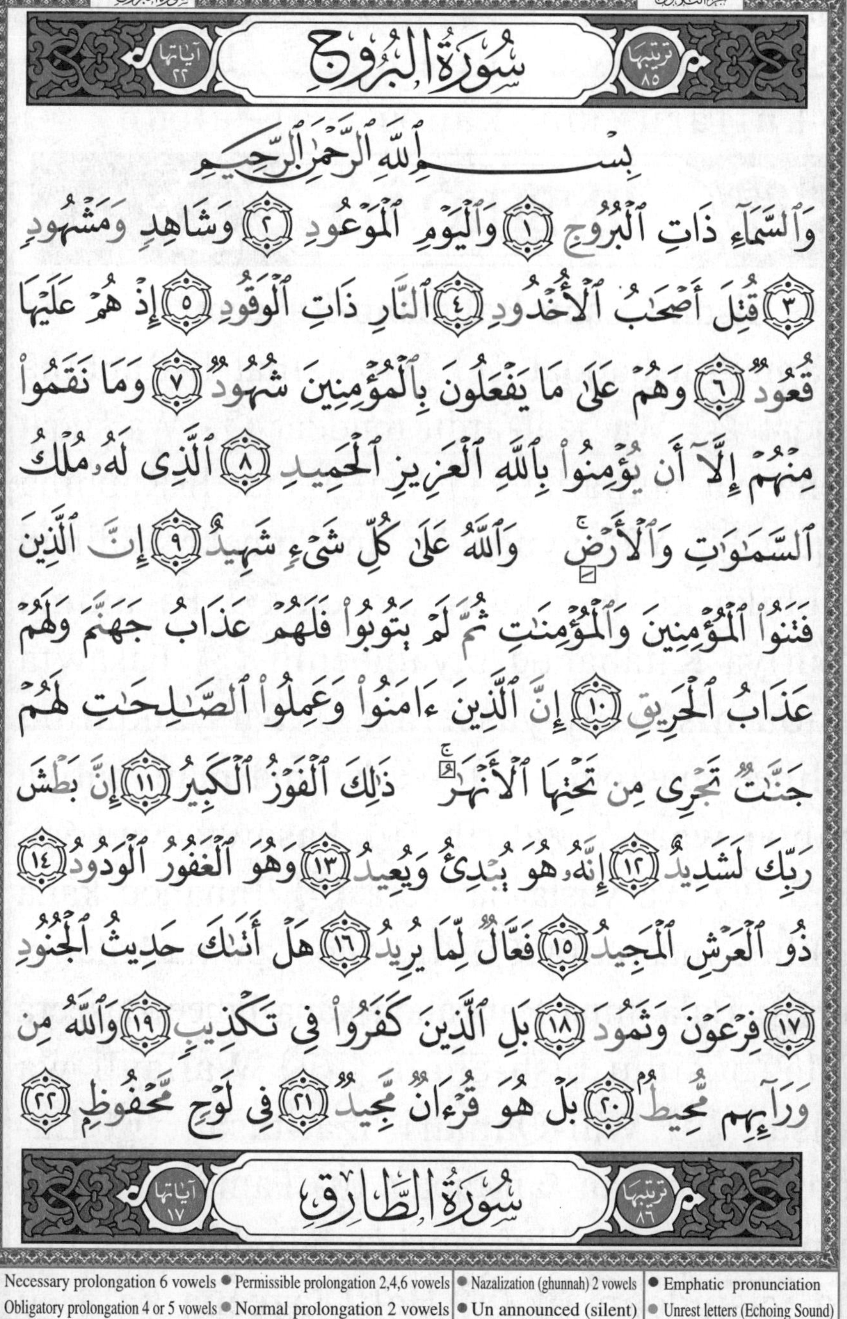

سُورَةُ البُرُوجِ ٨٥ الجزء الثلاثون

ترتيبها ٨٥ سُورَةُ البُرُوجِ آياتها ٢٢

بِسْمِ ٱللَّهِ ٱلرَّحْمَٰنِ ٱلرَّحِيمِ

وَٱلسَّمَآءِ ذَاتِ ٱلْبُرُوجِ ١ وَٱلْيَوْمِ ٱلْمَوْعُودِ ٢ وَشَاهِدٍ وَمَشْهُودٍ
٣ قُتِلَ أَصْحَٰبُ ٱلْأُخْدُودِ ٤ ٱلنَّارِ ذَاتِ ٱلْوَقُودِ ٥ إِذْ هُمْ عَلَيْهَا
قُعُودٌ ٦ وَهُمْ عَلَىٰ مَا يَفْعَلُونَ بِٱلْمُؤْمِنِينَ شُهُودٌ ٧ وَمَا نَقَمُوا۟
مِنْهُمْ إِلَّآ أَن يُؤْمِنُوا۟ بِٱللَّهِ ٱلْعَزِيزِ ٱلْحَمِيدِ ٨ ٱلَّذِى لَهُۥ مُلْكُ
ٱلسَّمَٰوَٰتِ وَٱلْأَرْضِ ۚ وَٱللَّهُ عَلَىٰ كُلِّ شَىْءٍ شَهِيدٌ ٩ إِنَّ ٱلَّذِينَ
فَتَنُوا۟ ٱلْمُؤْمِنِينَ وَٱلْمُؤْمِنَٰتِ ثُمَّ لَمْ يَتُوبُوا۟ فَلَهُمْ عَذَابُ جَهَنَّمَ وَلَهُمْ
عَذَابُ ٱلْحَرِيقِ ١٠ إِنَّ ٱلَّذِينَ ءَامَنُوا۟ وَعَمِلُوا۟ ٱلصَّٰلِحَٰتِ لَهُمْ
جَنَّٰتٌ تَجْرِى مِن تَحْتِهَا ٱلْأَنْهَٰرُ ۚ ذَٰلِكَ ٱلْفَوْزُ ٱلْكَبِيرُ ١١ إِنَّ بَطْشَ
رَبِّكَ لَشَدِيدٌ ١٢ إِنَّهُۥ هُوَ يُبْدِئُ وَيُعِيدُ ١٣ وَهُوَ ٱلْغَفُورُ ٱلْوَدُودُ ١٤
ذُو ٱلْعَرْشِ ٱلْمَجِيدُ ١٥ فَعَّالٌ لِّمَا يُرِيدُ ١٦ هَلْ أَتَىٰكَ حَدِيثُ ٱلْجُنُودِ
١٧ فِرْعَوْنَ وَثَمُودَ ١٨ بَلِ ٱلَّذِينَ كَفَرُوا۟ فِى تَكْذِيبٍ ١٩ وَٱللَّهُ مِن
وَرَآئِهِم مُّحِيطٌۢ ٢٠ بَلْ هُوَ قُرْءَانٌ مَّجِيدٌ ٢١ فِى لَوْحٍ مَّحْفُوظٍۭ ٢٢

ترتيبها ٨٦ سُورَةُ الطَّارِقِ آياتها ١٧

• Necessary prolongation 6 vowels • Permissible prolongation 2,4,6 vowels • Nazalization (ghunnah) 2 vowels • Emphatic pronunciation
• Obligatory prolongation 4 or 5 vowels • Normal prolongation 2 vowels • Un announced (silent) • Unrest letters (Echoing Sound)

Buruj, or The Zodiacal Signs

In the name of Allah, Most Gracious, Most Merciful.

1. By the Sky,
(displaying) the
Zodiacal Signs; 2. By
the promised Day (of
Judgment); 3. By one
that witnesses, and the
subject of the witness;-
4. Woe to the makers of
the pit (of fire), 5. Fire
supplied (abundantly)
with Fuel: 6. Behold!
they sat over against
the (fire), 7. And
they witnessed (all)
that they were doing
against the Believers.
8. And they ill-treated
them for no other reason
than that they believed in
Allah, exalted in Power,
Worthy of all Praise!
9. Him to Whom belongs
the dominion of the
heavens and the earth!
And Allah is Witness
to all things. 10. Those
who persecute (or draw
into temptation) the
Believers, men and
women, and do not
turn in repentance, will
have the Penalty of
Hell: they will have the
Penalty of the Burning
Fire. 11. For those
who believe and do righteous deeds, will be Gardens beneath which Rivers flow: that is the great
Salvation, (the fulfilment of all desires), 12. Truly strong is the Grip (and Power) of thy Lord. 13. It is
He Who creates from the very beginning, and He can restore (life). 14. And He is the Oft- Forgiving,
Full of loving-kindness, 15. Lord of the Throne of Glory, 16. Doer (without let) of all that He intends.
17. Has the story reached thee, of the Forces- 18. Of Pharaoh and the Thamud? 19. And yet the Unbelievers
(persist) in rejecting (the Truth)! 20. But Allah doth encompass them from behind! 21. Nay, this is a Glorious
Qur-an, 22. (Inscribed) in a Tablet Preserved!

q̇ = ق
ḍ = ض
ġ = غ
ṭ = ط
s = س
ṣ = ص
ḥ = ح
z = ز
ẓ = ذ
ẕ = ظ

Burouj

t͟h = ث
k͟h = خ
s͟h = ش
j = ج
ʻ = ع
' = ء

Long Vowels

ee = ي
ou = و
â = ا

Short Vowels

i = ـِ (كسرة)
u = ـُ (ضمة)
a = ـَ (فتحة)

'aw = أَوْ
wa = وَ
'ay = أَيْ
yâ = يا

22 'Âyah — No 85

BUROUJ

Bismi-LLâhir-Raḥmânir-Raḥeem

Was-Samâ-'i ẓâtil-BUROUJ (1) Wal-Yawmil-Maw-
ʻoud (2) Wa S͟hâhidinw-wa Mas͟h-houd (3) Q̇utila 'aṣ-
ḥâbul-'uk͟hdoud (4) 'Annâri ẓâtil-Waq̇oud (5) 'Iẓ-hum
ʻalayhâ q̇u-ʻoud (6) Wa hum ʻalâ mâ yaf-ʻalouna bil-
mu'-mineena s͟huhoud (7) Wa mâ naq̇amou minhum
'illâ 'any-yu'-minou bi-LLâhil-ʻAzeezil-Ḥameed (8)
'Allaẓee lahou mulkus-samâwâti wal-'arḍ; Wa-LLâhu
ʻalâ kulli s͟hay-'in-S͟haheed (9) 'Innal-laẓeena fatanul-
Mu'-mineena wal-mu'-minâti t͟humma lam yatoubou
falahum ʻaẓâbu Jahannama wa lahum ʻAẓâbul-
ḥareeq̇ (10) 'Innal-laẓeena 'âmanou waʻamiluṣ-
ṣâliḥâti lahum Jannâtun-tajree min-taḥtihal-'anhâr;
ẓâlikal-Fawzul-kabeer (11) 'Inna Baṭs͟ha Rabbika
la-s͟hadeed (12) 'Inna-Hou Huwa yubdi-'u wa yu-
ʻeed (13) Wa Huwal-Ġafourul-Wadoud (14) Ẓul-
ʻArs͟hil-Majeed (15) Faʻ-ʻâlul-limâ yureed (16)
Hal 'atâka ḥadeet͟hul-Junoud (17) Fir-ʻawna wa
T͟hamoud (18) Balil-laẓeena kafarou fee takẓeeb (19)
Wa-LLâhu minw-warâ-'ihim-Muḥeeṭ (20) Bal huwa
Q̇ur-'ânum-Majeed (21) Fee Lawḥim-Maḥfouẓ (22)

17 'Âyah — No 86

ṬÂRIQ̇

Tariq, or The NightVisitant

بِسْمِ ٱللَّهِ ٱلرَّحْمَٰنِ ٱلرَّحِيمِ
وَٱلسَّمَآءِ وَٱلطَّارِقِ ﴿١﴾ وَمَآ أَدْرَىٰكَ مَا ٱلطَّارِقُ ﴿٢﴾ ٱلنَّجْمُ ٱلثَّاقِبُ ﴿٣﴾ إِن كُلُّ
نَفْسٍ لَّمَّا عَلَيْهَا حَافِظٌ ﴿٤﴾ فَلْيَنظُرِ ٱلْإِنسَٰنُ مِمَّ خُلِقَ ﴿٥﴾ خُلِقَ مِن مَّآءٍ
دَافِقٍ ﴿٦﴾ يَخْرُجُ مِنۢ بَيْنِ ٱلصُّلْبِ وَٱلتَّرَآئِبِ ﴿٧﴾ إِنَّهُۥ عَلَىٰ رَجْعِهِۦ لَقَادِرٌ ﴿٨﴾
يَوْمَ تُبْلَى ٱلسَّرَآئِرُ ﴿٩﴾ فَمَا لَهُۥ مِن قُوَّةٍ وَلَا نَاصِرٍ ﴿١٠﴾ وَٱلسَّمَآءِ ذَاتِ ٱلرَّجْعِ ﴿١١﴾
وَٱلْأَرْضِ ذَاتِ ٱلصَّدْعِ ﴿١٢﴾ إِنَّهُۥ لَقَوْلٌ فَصْلٌ ﴿١٣﴾ وَمَا هُوَ بِٱلْهَزْلِ ﴿١٤﴾ إِنَّهُمْ
يَكِيدُونَ كَيْدًا ﴿١٥﴾ وَأَكِيدُ كَيْدًا ﴿١٦﴾ فَمَهِّلِ ٱلْكَٰفِرِينَ أَمْهِلْهُمْ رُوَيْدًۢا ﴿١٧﴾

ترتيبها ٨٧ — سُورَةُ الأَعْلَىٰ — آياتها ١٩

بِسْمِ ٱللَّهِ ٱلرَّحْمَٰنِ ٱلرَّحِيمِ
سَبِّحِ ٱسْمَ رَبِّكَ ٱلْأَعْلَى ﴿١﴾ ٱلَّذِى خَلَقَ فَسَوَّىٰ ﴿٢﴾ وَٱلَّذِى قَدَّرَ فَهَدَىٰ
﴿٣﴾ وَٱلَّذِىٓ أَخْرَجَ ٱلْمَرْعَىٰ ﴿٤﴾ فَجَعَلَهُۥ غُثَآءً أَحْوَىٰ ﴿٥﴾ سَنُقْرِئُكَ
فَلَا تَنسَىٰٓ ﴿٦﴾ إِلَّا مَا شَآءَ ٱللَّهُ ۚ إِنَّهُۥ يَعْلَمُ ٱلْجَهْرَ وَمَا يَخْفَىٰ ﴿٧﴾ وَنُيَسِّرُكَ
لِلْيُسْرَىٰ ﴿٨﴾ فَذَكِّرْ إِن نَّفَعَتِ ٱلذِّكْرَىٰ ﴿٩﴾ سَيَذَّكَّرُ مَن يَخْشَىٰ ﴿١٠﴾
وَيَتَجَنَّبُهَا ٱلْأَشْقَى ﴿١١﴾ ٱلَّذِى يَصْلَى ٱلنَّارَ ٱلْكُبْرَىٰ ﴿١٢﴾ ثُمَّ لَا يَمُوتُ
فِيهَا وَلَا يَحْيَىٰ ﴿١٣﴾ قَدْ أَفْلَحَ مَن تَزَكَّىٰ ﴿١٤﴾ وَذَكَرَ ٱسْمَ رَبِّهِۦ فَصَلَّىٰ ﴿١٥﴾

• Necessary prolongation 6 vowels • Permissible prolongation 2,4,6 vowels • Nazalization (ghunnah) 2 vowels • Emphatic pronunciation
• Obligatory prolongation 4 or 5 vowels • Normal prolongation 2 vowels • Un announced (silent) • Unrest letters (Echoing Sound)

In the name of Allah, Most Gracious, Most Merciful.

1. By the Sky and the Night - Visitant (therein); 2. And what will explain to thee what the Night-Visitant is?- 3. (It is) the Star of piercing brightness; 4. There is no soul but has a protector over it. 5. Now let man but think from what he is created! 6. He is created from a drop emitted- 7. Proceeding from between the backbone and the ribs: 8. Surely (Allah) is able to bring him back (to life)! 9. The Day that (all) things secret will be tested, 10. (Man) will have no power, and no helper. 11. By the Firmament which returns (in its round), 12. And by the Earth which opens out (for the gushing of springs or the sprouting of vegetation), 13. Behold this is the Word that distinguishes (Good from Evil): 14. It is not a thing for amusement. 15. As for them, they are but plotting a scheme, 16. And I am planning a scheme. 17. Therefore grant a delay to the Unbelievers: give respite to them gently (for awhile).

الحزب ٦٠

A'la, or The Most High

In the name of Allah, Most Gracious, Most Merciful.

1. Glorify the name of thy Guardian-Lord Most High, 2. Who hath created and further, given order and proportion; 3. Who hath ordained laws. And granted guidance; 4. And who bringeth out the (green and luscious) pasture, 5. And then doth make it (but) swarthy stubble. 6. By degrees shall We teach thee to declare (the Message) so thou shalt not forget, 7. Except as Allah wills: for He knoweth what is manifest and what is hidden. 8. And We will make it easy for thee (to follow) the simple (Path). 9. Therefore give admonition in case the admonition profits (the hearer). 10. The admonition will be received by those who fear (Allah): 11. But it will be avoided by those most unfortunate ones, 12. Who will enter the Great Fire, 13. In which they will then neither die nor live. 14. But those will prosper who purify themselves, 15. And glorify the name of their Guardian-Lord, and (lift their hearts) in Prayer.

Bismi-LLâhir-Raḥmânir-Raḥeem

Was-Samâ-'i waṭ-ṬÂRIQ (1) Wa mâ 'adrâka maṭṭâriq
(2) 'An-Najmuth-thâqib (3) 'In-kullu nafsillammâ
‘alayhâ ḥâfiẓ (4) Fal-yanẓuril-'insânu-mimma
khuliq (5) Khuliqa mimmâ-'in-dâ-fiq (6) Yakhruju
mim-bayniṣ-ṣulbi wat-tarâ-'ib (7) 'Inna-Hou ‘alâ raj-
‘ihee la-qâdir (8) Yawma tublas-sarâ-'ir (9) Famâ
lahou min-quw-watinw-wa lâ nâṣir (10) Was-Samâ-'i
ẓâtir-raj‘ (11) Wal-'arḍi ẓâtiṣ-ṣad‘- (12) 'Innahou la-
qawlun-faṣl (13) Wa mâ huwa bil-hazl (14) 'Innahum
yakeedouna kaydâ (15) Wa 'akeedu kaydâ (16)
Fa-mahhilil-kâfireena 'amhilhum ru-waydâ (17)

19 'Âyah

'A‘-LÂ

№ 87

Bismi-LLâhir-Raḥmânir-Raḥeem

Sabbiḥisma Rabbikal-'A‘-lâ (1) 'Allaẓee khalaqa
fasawwâ (2) Wallaẓee qaddara fahadâ (3)
Wallaẓee 'akhrajal-mar-‘â (4) Fa-ja-‘alahou ġuthâ-
'an 'aḥwâ (5) Sanuqri-'uka falâ tansâ (6) 'Illâ
mâ shâ-'a-LLâh; 'inna-Hou ya‘-lamul-jahra wa
mâ yakhfâ (7) Wa nuyas-siruka lil-Yusrâ (8)
Fa-ẓakkir 'in-nafa-‘atiẓ-ẓikrâ (9) Sa-yaẓẓakkaru
many-yakh-shâ (10) Wa yatajannabuhal-'ashqâ (11)
'Allaẓee yaṣlan-Nâral-kubrâ (12) Thumma lâ
yamoutu feehâ wa lâ yaḥyâ (13) Qad 'aflaḥa man-
tazakkâ (14) Wa ẓakarasma Rabbihee faṣallâ (15)

q = ق
ḍ = ض
ġ = غ
ṭ = ط
s = س
ṣ = ص
ḥ = ح
z = ز
ẓ = ذ
ẓ = ظ
th = ث

Ṭâriq
'A‘-lâ

kh = خ
sh = ش
j = ج
‘ = ع
' = ء

Long Vowels

ee = ي
ou = و
â = ا

Short Vowels

i = ـِ (كسرة)
u = ـُ (ضمة)
a = ـَ (فتحة)

'aw = أَوْ
wa = وَ
'ay = أَيْ
yâ = يا

Madd 6 ḥarakah · 4-5 ḥarakah · 2-4-6 ḥarakah · Ġunnah 2 ḥarakah · 'Idġâm · Tafkheem · Qalqalah

بَلْ تُؤْثِرُونَ ٱلْحَيَوٰةَ ٱلدُّنْيَا ﴿١٦﴾ وَٱلْءَاخِرَةُ خَيْرٌ وَأَبْقَىٰٓ ﴿١٧﴾ إِنَّ
هَٰذَا لَفِى ٱلصُّحُفِ ٱلْأُولَىٰ ﴿١٨﴾ صُحُفِ إِبْرَٰهِيمَ وَمُوسَىٰ ﴿١٩﴾

سُورَةُ الغَاشِيَةِ

ترتيبها ٨٨ — آياتها ٢٦

بِسْمِ ٱللَّهِ ٱلرَّحْمَٰنِ ٱلرَّحِيمِ

هَلْ أَتَىٰكَ حَدِيثُ ٱلْغَٰشِيَةِ ﴿١﴾ وُجُوهٌ يَوْمَئِذٍ خَٰشِعَةٌ ﴿٢﴾
عَامِلَةٌ نَّاصِبَةٌ ﴿٣﴾ تَصْلَىٰ نَارًا حَامِيَةً ﴿٤﴾ تُسْقَىٰ مِنْ عَيْنٍ ءَانِيَةٍ ﴿٥﴾
لَّيْسَ لَهُمْ طَعَامٌ إِلَّا مِن ضَرِيعٍ ﴿٦﴾ لَّا يُسْمِنُ وَلَا يُغْنِى مِن جُوعٍ ﴿٧﴾
وُجُوهٌ يَوْمَئِذٍ نَّاعِمَةٌ ﴿٨﴾ لِّسَعْيِهَا رَاضِيَةٌ ﴿٩﴾ فِى جَنَّةٍ عَالِيَةٍ ﴿١٠﴾
لَّا تَسْمَعُ فِيهَا لَٰغِيَةً ﴿١١﴾ فِيهَا عَيْنٌ جَارِيَةٌ ﴿١٢﴾ فِيهَا سُرُرٌ مَّرْفُوعَةٌ ﴿١٣﴾
وَأَكْوَابٌ مَّوْضُوعَةٌ ﴿١٤﴾ وَنَمَارِقُ مَصْفُوفَةٌ ﴿١٥﴾ وَزَرَابِىُّ مَبْثُوثَةٌ ﴿١٦﴾
أَفَلَا يَنظُرُونَ إِلَى ٱلْإِبِلِ كَيْفَ خُلِقَتْ ﴿١٧﴾ وَإِلَى ٱلسَّمَآءِ كَيْفَ
رُفِعَتْ ﴿١٨﴾ وَإِلَى ٱلْجِبَالِ كَيْفَ نُصِبَتْ ﴿١٩﴾ وَإِلَى ٱلْأَرْضِ كَيْفَ
سُطِحَتْ ﴿٢٠﴾ فَذَكِّرْ إِنَّمَآ أَنتَ مُذَكِّرٌ ﴿٢١﴾ لَّسْتَ عَلَيْهِم
بِمُصَيْطِرٍ ﴿٢٢﴾ إِلَّا مَن تَوَلَّىٰ وَكَفَرَ ﴿٢٣﴾ فَيُعَذِّبُهُ ٱللَّهُ ٱلْعَذَابَ
ٱلْأَكْبَرَ ﴿٢٤﴾ إِنَّ إِلَيْنَآ إِيَابَهُمْ ﴿٢٥﴾ ثُمَّ إِنَّ عَلَيْنَا حِسَابَهُم ﴿٢٦﴾

● Necessary prolongation 6 vowels	● Permissible prolongation 2,4,6 vowels	● Nazalization (ghunnah) 2 vowels	● Emphatic pronunciation
● Obligatory prolongation 4 or 5 vowels	● Normal prolongation 2 vowels	● Un announced (silent)	● Unrest letters (Echoing Sound)

16. Nay (behold), ye prefer the life of this world; 17. But the Hereafter is better and more enduring. 18. And this is in the Books of the earliest (Revelations), 19. The Books of Abraham and Moses.

Gashiya, or The Overwhelming Event

In the name of Allah, Most Gracious, Most Merciful.

1. Has the story reached thee, of the overwhelming (Event)? 2. Some faces, that Day, will be humiliated, 3. Labouring (hard), weary, 4. The while they enter the Blazing Fire,- 5. The while they are given, to drink, of a boiling hot spring, 6. No food will there be for them but a bitter Dhari 7. Which will neither nourish nor satisfy hunger. 8. (Other) faces that Day will be joyful, 9. Pleased with their Striving,- 10. In a Garden on high, 11. Where they shall hear no (word) of vanity: 12. Therein will be a bubbling spring: 13. Therein will be Thrones (of dignity), raised on high, 14. Goblets placed (ready), 15. And Cushions set in rows, 16. And rich carpets (all) spread out. 17. Do they not look at the Camels, how they are made?- 18. And at the Sky, how it is raised high?- 19. And at the Mountains, how they are fixed firm?- 20. And at the Earth, how it is spread out? 21. Therefore do thou give admonition, for thou art one to admonish. 22. Thou art not one to manage (men's) affairs. 23. But if any turn away and reject Allah,- 24. Allah will punish him with a mighty Punishment, 25. For to Us will be their Return; 26. Then it will be for Us to call them to account.

Bal tu'-thirounal-ḥayâtad-dunyâ (16) Wal-'Âkhiratu
khayrunw-wa 'abqâ (17) 'Inna hâẓâ lafiṣ-Ṣuḥufil-
'oulâ (18) Ṣuḥufi 'Ibrâheema wa Mousâ (19)

ĠÂSHIYAH

26 'Âyah — № 88

Bismi-LLâhir-Raḥmânir-Raḥeem

Hal 'atâka ḥadeethul-Ġâ-shiyah (1) Wujou-huny-
yawma-'iẓin khâshi-'ah (2) 'Âmilatun-nâṣibah (3)
Taṣlâ Nâran ḥâmiyah (4) Tusqâ min 'aynin 'âni-
yah (5) Laysa lahum ṭa-'âmun 'illâ min-Ḍaree' (6)
Lâ yusminu wa lâ yuġnee min-jou' (7) Wujouhuny-
yawma-'iẓin-nâ-'imah (8) Li-sa'-yihâ râḍiyah (9) Fee
Jannatin 'âliyah (10) Lâ tasma-'u feehâ lâġiyah (11)
Feehâ 'aynun-jâriyah (12) Feehâ Sururum-marfou-
'ah (13) Wa 'akwâbum-mawḍou-'ah (14) Wa namâriqu
maṣfoufah (15) Wa zarâbiyyu mabthouthah (16)
'Afalâ yanẓurouna 'ilal-'ibili kayfa khuliqat (17)
Wa 'ilas-Samâ-'i kayfa rufi-'at (18) Wa 'ilal-Jibâli
kayfa nuṣibat (19) Wa 'ilal-'Arḍi kayfa suṭiḥat (20)
Faẓakkir 'innamâ 'anta muẓakkir (21) Lasta 'alayhim-
bi-muṣayṭir (22) 'Illâ man-tawallâ wa kafar (23) Fayu-
'aẓẓibuhu-LLâhul-'Aẓâbal-'akbar (24) 'Inna 'ilaynâ
'Iyâbahum (25) Thumma 'inna 'alaynâ ḥisâbahum (26)

q = ق
ḍ = ض
ġ = غ
ṭ = ط
s = س
ṣ = ص
ḥ = ح
z = ز
ẓ = ذ
ẓ = ظ
th = ث
kh = خ

Ġâshiyah

sh = ش
j = ج
' = ع
' = ء

Long Vowels
ee = ي
ou = و
â = ا

Short Vowels
i = ـِ (كسرة)
u = ـُ (ضمة)
a = ـَ (فتحة)

'aw = أَوْ
wa = وَ
'ay = أَيْ
yâ = يا

Madd 6 ḥarakah · 4-5 ḥarakah · 2-4-6 ḥarakah · Ġunnah 2 ḥarakah · 'Idġâm · Tafkheem · Qalqalah

سُورَةُ الفَجْرِ

ترتيبها ٨٩ — آياتها ٣٠

بِسْمِ ٱللَّهِ ٱلرَّحْمَٰنِ ٱلرَّحِيمِ

وَٱلْفَجْرِ ﴿١﴾ وَلَيَالٍ عَشْرٍ ﴿٢﴾ وَٱلشَّفْعِ وَٱلْوَتْرِ ﴿٣﴾ وَٱلَّيْلِ إِذَا يَسْرِ
﴿٤﴾ هَلْ فِى ذَٰلِكَ قَسَمٌ لِّذِى حِجْرٍ ﴿٥﴾ أَلَمْ تَرَ كَيْفَ فَعَلَ رَبُّكَ بِعَادٍ
﴿٦﴾ إِرَمَ ذَاتِ ٱلْعِمَادِ ﴿٧﴾ ٱلَّتِى لَمْ يُخْلَقْ مِثْلُهَا فِى ٱلْبِلَٰدِ ﴿٨﴾
وَثَمُودَ ٱلَّذِينَ جَابُوا۟ ٱلصَّخْرَ بِٱلْوَادِ ﴿٩﴾ وَفِرْعَوْنَ ذِى ٱلْأَوْتَادِ ﴿١٠﴾
ٱلَّذِينَ طَغَوْا۟ فِى ٱلْبِلَٰدِ ﴿١١﴾ فَأَكْثَرُوا۟ فِيهَا ٱلْفَسَادَ ﴿١٢﴾ فَصَبَّ
عَلَيْهِمْ رَبُّكَ سَوْطَ عَذَابٍ ﴿١٣﴾ إِنَّ رَبَّكَ لَبِٱلْمِرْصَادِ ﴿١٤﴾ فَأَمَّا
ٱلْإِنسَٰنُ إِذَا مَا ٱبْتَلَىٰهُ رَبُّهُۥ فَأَكْرَمَهُۥ وَنَعَّمَهُۥ فَيَقُولُ رَبِّىٓ أَكْرَمَنِ
﴿١٥﴾ وَأَمَّآ إِذَا مَا ٱبْتَلَىٰهُ فَقَدَرَ عَلَيْهِ رِزْقَهُۥ فَيَقُولُ رَبِّىٓ أَهَٰنَنِ ﴿١٦﴾
كَلَّا ۖ بَل لَّا تُكْرِمُونَ ٱلْيَتِيمَ ﴿١٧﴾ وَلَا تَحَٰٓضُّونَ عَلَىٰ طَعَامِ
ٱلْمِسْكِينِ ﴿١٨﴾ وَتَأْكُلُونَ ٱلتُّرَاثَ أَكْلًا لَّمًّا ﴿١٩﴾
وَتُحِبُّونَ ٱلْمَالَ حُبًّا جَمًّا ﴿٢٠﴾ كَلَّآ إِذَا دُكَّتِ ٱلْأَرْضُ دَكًّا
دَكًّا ﴿٢١﴾ وَجَآءَ رَبُّكَ وَٱلْمَلَكُ صَفًّا صَفًّا ﴿٢٢﴾ وَجِا۟ىٓءَ يَوْمَئِذٍۭ
بِجَهَنَّمَ ۚ يَوْمَئِذٍ يَتَذَكَّرُ ٱلْإِنسَٰنُ وَأَنَّىٰ لَهُ ٱلذِّكْرَىٰ ﴿٢٣﴾

● Necessary prolongation 6 vowels	● Permissible prolongation 2,4,6 vowels	● Nazalization (ghunnah) 2 vowels	● Emphatic pronunciation
● Obligatory prolongation 4 or 5 vowels	● Normal prolongation 2 vowels	● Un announced (silent)	● Unrest letters (Echoing Sound)

Fajr, or The Break of Day.

In the name of Allah, Most Gracious, Most Merciful.

1. By the Break of Day; 2. By the Nights twice five; 3. By the Even and Odd (contrasted); 4. And by the Night when it passeth away;- 5. Is there (not) in these an adjuration (or evidence) for those who understand? 6. Seest thou not how thy Lord dealt with the 'Ad (people),- 7. Of the (city of) Iram, with lofty pillars, 8. The like of which were not produced in (all) the land? 9. And with the Thamud (people), who cut out (huge) rocks in the valley?- 10. And with Pharaoh, Lord of Stakes? 11. (All) these transgressed beyond bounds in the lands. 12. And heaped therein mischief (on mischief). 13. Therefore did thy Lord Pour on them a scourge of diverse chastisements: 14. For thy Lord is (as a Guardian) on a watch-tower. 15. Now, as for man, when his Lord trieth him, giving him honour and gifts, then saith he, (puffed up), "My Lord hath honoured me" 16. But when he trieth him, restricting his subsistence for him, then saith he (in despair), "My Lord hath humiliated me!" 17. Nay, nay! But ye honour not the orphans! 18. Nor do ye encourage one another to feed the poor!- 19. And ye devour Inheritance- all with greed, 20. And ye love wealth with inordinate love! 21. Nay! When the earth is pounded to powder, 22. And thy Lord cometh, and His angels, rank upon rank, 23. And Hell, that Day, is brought (face to face),- on that Day will man remember, but how will that remembrance profit him?

ḋ = ق
ḍ = ض
ġ = غ
ṭ = ط
s = س
ṣ = ص
ḥ = ح
z = ز
ẓ = ذ
ẕ = ظ
th = ث
kh = خ
sh = ش
j = ج

Fajr

ʻ = ع
' = ء

Long Vowels
ee = ي
ou = و
â = ا

Short Vowels
i = ـِ (كسرة)
u = ـُ (ضمة)
a = ـَ (فتحة)

'aw = أَوْ
wa = وَ
'ay = أَيْ
yâ = يا

FAJR

30 'Âyah — № 89

Bismi-LLâhir-Raḥmânir-Raḥeem

Wal-Fajr (1) Wa La-yâlin ʻashr (2) Wash-Shaf-ʻi
wal-watr (3) Wal-layli 'iẓâ yasr (4) Hal fee ẓâlika
ḋasamul-liẓee ḥijr (5) 'Alam tara kayfa fa-ʻala
Rabbuka bi-ʻÂd (6) 'Irama Ẓâtil-ʻimâd (7) 'Allatee
lam yukhlaḋ mithluhâ fil-bilâd (8) Wa Thamoudal-
laẓeena jâbuṣ-ṣakhra bil-wâd (9) Wa Fir-ʻawna ẓil-
'awtâd (10) 'Allaẓeena ṭaġaw fil-bilâd (11) Fa-'aktharou
feehal-fasâd (12) Faṣabba ʻalayhim Rabbuka sawṭa
ʻaẓâb (13) 'Inna Rabbaka la-bil-mirṣâd (14) Fa-'ammal-
'insânu 'iẓâ mabtalâhu Rabbuhou fa-'ak-ramahou wa
naʻ-ʻamahou fa-yaḋoulu Rabbee 'akraman (15) Wa
'ammâ 'iẓâ mabta-lâhu faḋadara ʻalayhi rizḋahou
fa-yaḋoulu Rabbee 'ahânan (16) Kallâ; bal-lâ
tukrimounal-yateem (17) Wa lâ taḥâḍḍouna ʻalâ ṭa-
ʻâmil-miskeen (18) Wa ta'-kulounat-Turâtha 'aklal-
lammâ (19) Wa tuḥibbounal-mâla ḥubban-jammâ (20)
Kallâ 'iẓâ dukkatil-'arḍu dakkan-dakkâ (21) Wa
jâ-'a Rabbuka wal-malaku ṣaffan-ṣaffâ (22) Wa
jee-'a Yawma-'iẓim-bi-Jahannam,- Yawma-'iẓiny-
yataẓakkarul-'insânu wa 'annâ lahuẓ-ẓikrâ (23)

Madd 6 ḥarakah · 4-5 ḥarakah · 2-4-6 ḥarakah · Ġunnah 2 ḥarakah · 'Idġâm · Tafkheem · Ḋalḋalah

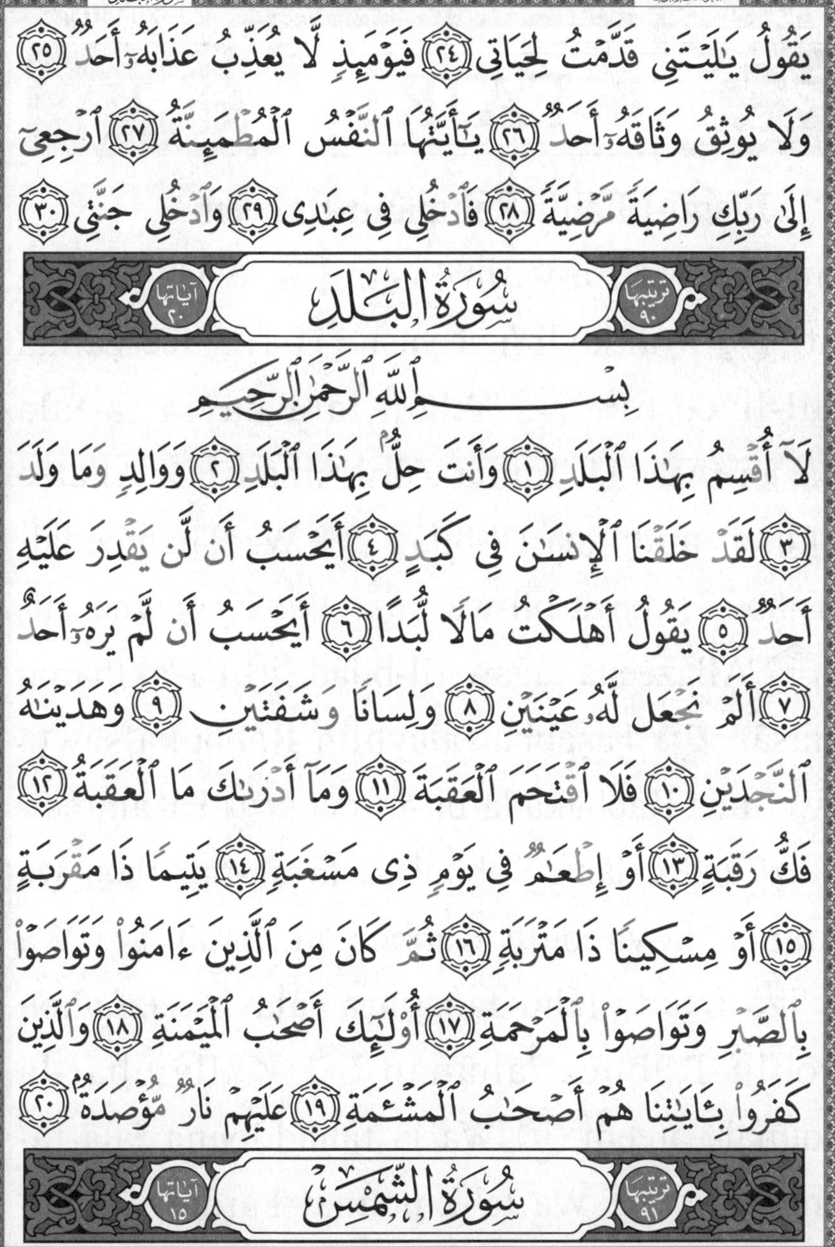

24. He will say: "Ah! Would that I had sent forth (Good Deeds) for (this) my (Future) Life!" 25. For, that Day, His Chastisement will be such as none (else) can inflict, 26. And His bonds will be such as none (other) can bind. 27. (To the righteous soul will be said:) "O (thou) soul, in (complete) rest and satisfaction! 28. "Come back thou to thy Lord,- well pleased (thyself), and well-pleasing unto Him! 29. "Enter thou, then, among my Devotees! 30. "Yea, enter thou My Heaven!

Balad, or The City

In the name of Allah, Most Gracious, Most Merciful.

1. I do call to witness this City;- 2. And thou art a freeman of this City;- 3. And (the mystic ties of) Parent and Child;- 4. Verily We have created man into toil and struggle. 5.Thinketh he, that none hath power over him? 6. He may say (boastfully): Wealth have I squandered in abundance! 7. Thinketh he that none beholdeth him? 8.Have We not made for him a pair of eyes?- 9.And a tongue, and a pair of lips?- 10.And shown him the two highways? 11. But he hath made no haste on the path that is steep. 12. And what will explain to thee the path that is steep?- 13. (It is:) freeing the bondman; 14. Or the giving of food in a day of privation 15. To the orphan with claims of relationship,16. Or to the indigent (down) in the dust. 17. Then will he be of those who believe, and enjoin patience, (constancy, and self- restraint), and enjoin deeds of kindness and compassion. 18. Such are the Companions of the Right Hand. 19. But those who reject Our Signs, they are the (unhappy) Companions of the Left Hand. 20. On them will be Fire vaulted over (all round).

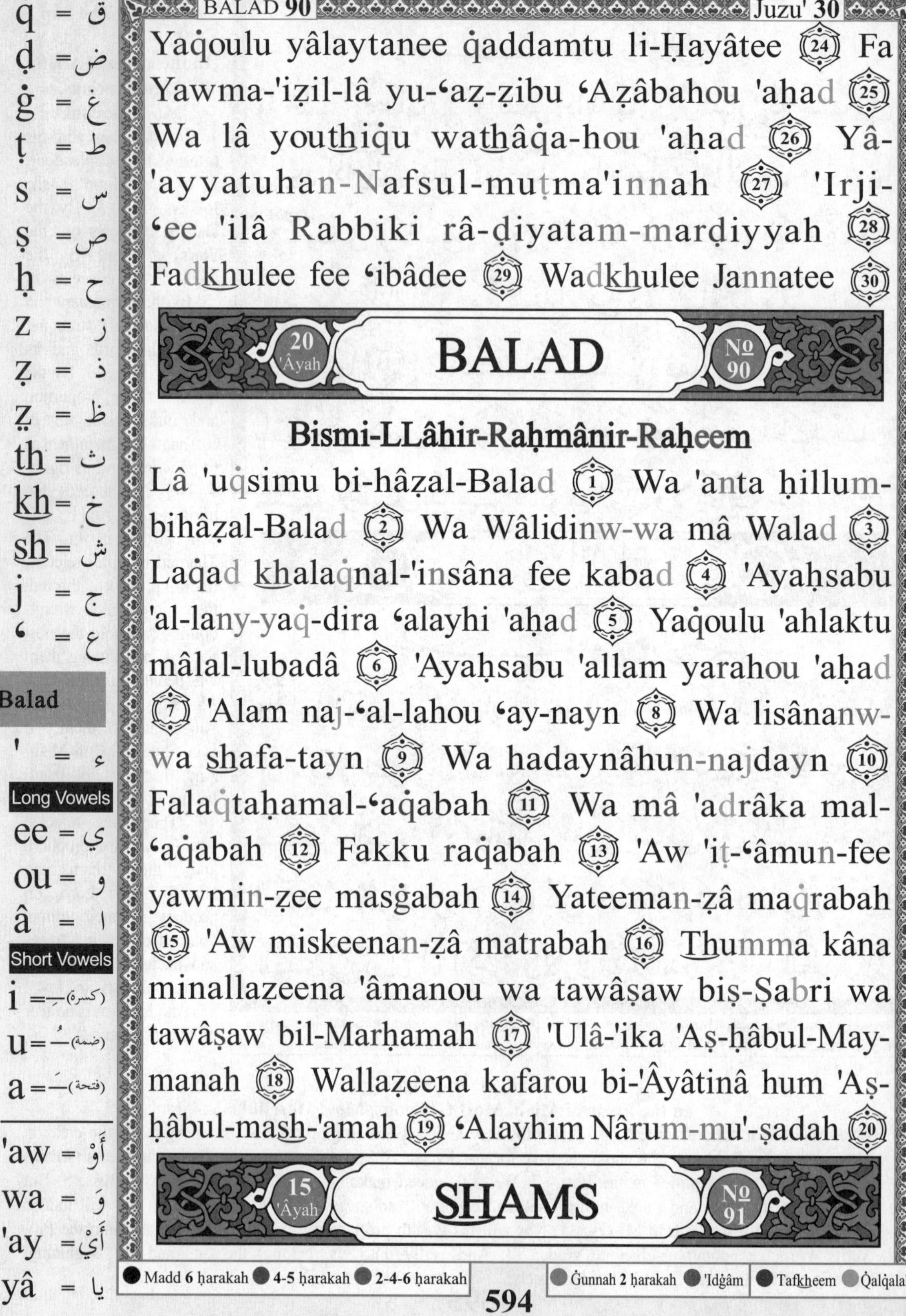

Yaq̇oulu yâlaytanee q̇addamtu li-Ḥayâtee (24) Fa
Yawma-'iẕil-lâ yu-'aẕ-ẕibu 'Aẕâbahou 'aḥad (25)
Wa lâ youthiq̇u wathâq̇a-hou 'aḥad (26) Yâ-
'ayyatuhan-Nafsul-muṭma'innah (27) 'Irji-
'ee 'ilâ Rabbiki râ-ḍiyatam-marḍiyyah (28)
Fadkhulee fee 'ibâdee (29) Wadkhulee Jannatee (30)

20 'Âyah **BALAD** № 90

Bismi-LLâhir-Raḥmânir-Raḥeem

Lâ 'uq̇simu bi-hâẕal-Balad (1) Wa 'anta ḥillum-
bihâẕal-Balad (2) Wa Wâlidinw-wa mâ Walad (3)
Laq̇ad khalaq̇nal-'insâna fee kabad (4) 'Ayaḥsabu
'al-lany-yaq̇-dira 'alayhi 'aḥad (5) Yaq̇oulu 'ahlaktu
mâlal-lubadâ (6) 'Ayaḥsabu 'allam yarahou 'aḥad
(7) 'Alam naj-'al-lahou 'ay-nayn (8) Wa lisânanw-
wa shafa-tayn (9) Wa hadaynâhun-najdayn (10)
Falaq̇taḥamal-'aq̇abah (11) Wa mâ 'adrâka mal-
'aq̇abah (12) Fakku raq̇abah (13) 'Aw 'iṭ-'âmun-fee
yawmin-ẕee masġabah (14) Yateeman-ẕâ maq̇rabah
(15) 'Aw miskeenan-ẕâ matrabah (16) Thumma kâna
minallaẕeena 'âmanou wa tawâṣaw biṣ-Ṣabri wa
tawâṣaw bil-Marḥamah (17) 'Ulâ-'ika 'Aṣ-ḥâbul-May-
manah (18) Wallaẕeena kafarou bi-'Âyâtinâ hum 'Aṣ-
ḥâbul-mash-'amah (19) 'Alayhim Nârum-mu'-ṣadah (20)

15 'Âyah **SHAMS** № 91

q̇ = ق
ḍ = ض
ġ = غ
ṭ = ط
s = س
ṣ = ص
ḥ = ح
z = ز
ẕ = ذ
ẓ = ظ
th = ث
kh = خ
sh = ش
j = ج
' = ع

Balad

' = ء

Long Vowels

ee = ي
ou = و
â = ا

Short Vowels

i = ـِ (كسرة)
u = ـُ (ضمة)
a = ـَ (فتحة)

'aw = أَوْ
wa = وَ
'ay = أَيْ
yâ = يا

Madd 6 ḥarakah · 4-5 ḥarakah · 2-4-6 ḥarakah · Ġunnah 2 ḥarakah · 'Idġâm · Tafkheem · Q̇alq̇alah

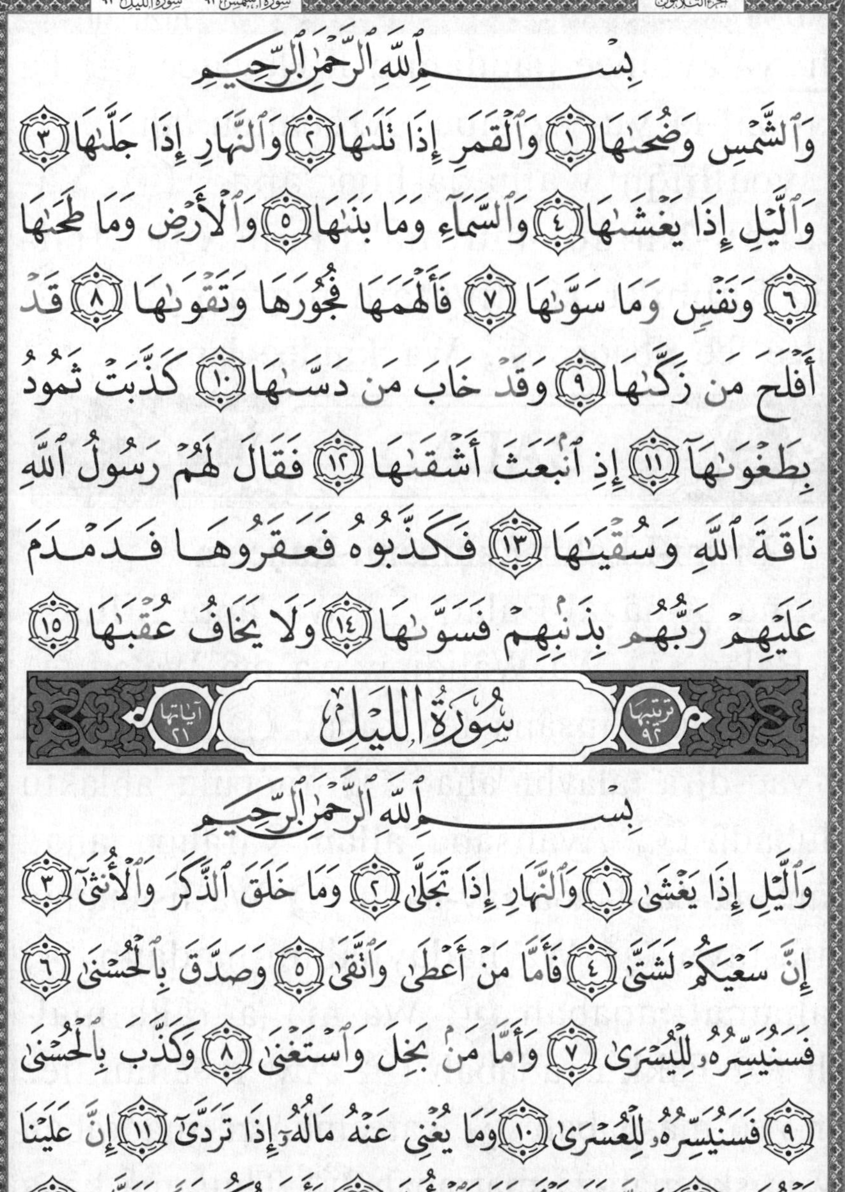

بِسْمِ اللَّهِ الرَّحْمَٰنِ الرَّحِيمِ
وَالشَّمْسِ وَضُحَاهَا ﴿١﴾ وَالْقَمَرِ إِذَا تَلَاهَا ﴿٢﴾ وَالنَّهَارِ إِذَا جَلَّاهَا ﴿٣﴾
وَاللَّيْلِ إِذَا يَغْشَاهَا ﴿٤﴾ وَالسَّمَاءِ وَمَا بَنَاهَا ﴿٥﴾ وَالْأَرْضِ وَمَا طَحَاهَا
﴿٦﴾ وَنَفْسٍ وَمَا سَوَّاهَا ﴿٧﴾ فَأَلْهَمَهَا فُجُورَهَا وَتَقْوَاهَا ﴿٨﴾ قَدْ
أَفْلَحَ مَن زَكَّاهَا ﴿٩﴾ وَقَدْ خَابَ مَن دَسَّاهَا ﴿١٠﴾ كَذَّبَتْ ثَمُودُ
بِطَغْوَاهَا ﴿١١﴾ إِذِ انبَعَثَ أَشْقَاهَا ﴿١٢﴾ فَقَالَ لَهُمْ رَسُولُ اللَّهِ
نَاقَةَ اللَّهِ وَسُقْيَاهَا ﴿١٣﴾ فَكَذَّبُوهُ فَعَقَرُوهَا فَدَمْدَمَ
عَلَيْهِمْ رَبُّهُم بِذَنبِهِمْ فَسَوَّاهَا ﴿١٤﴾ وَلَا يَخَافُ عُقْبَاهَا ﴿١٥﴾

ترتيبها ٩٢ — سُورَةُ اللَّيْلِ — آياتها ٢١

بِسْمِ اللَّهِ الرَّحْمَٰنِ الرَّحِيمِ
وَاللَّيْلِ إِذَا يَغْشَىٰ ﴿١﴾ وَالنَّهَارِ إِذَا تَجَلَّىٰ ﴿٢﴾ وَمَا خَلَقَ الذَّكَرَ وَالْأُنثَىٰ ﴿٣﴾
إِنَّ سَعْيَكُمْ لَشَتَّىٰ ﴿٤﴾ فَأَمَّا مَنْ أَعْطَىٰ وَاتَّقَىٰ ﴿٥﴾ وَصَدَّقَ بِالْحُسْنَىٰ ﴿٦﴾
فَسَنُيَسِّرُهُ لِلْيُسْرَىٰ ﴿٧﴾ وَأَمَّا مَن بَخِلَ وَاسْتَغْنَىٰ ﴿٨﴾ وَكَذَّبَ بِالْحُسْنَىٰ
﴿٩﴾ فَسَنُيَسِّرُهُ لِلْعُسْرَىٰ ﴿١٠﴾ وَمَا يُغْنِي عَنْهُ مَالُهُ إِذَا تَرَدَّىٰ ﴿١١﴾ إِنَّ عَلَيْنَا
لَلْهُدَىٰ ﴿١٢﴾ وَإِنَّ لَنَا لَلْآخِرَةَ وَالْأُولَىٰ ﴿١٣﴾ فَأَنذَرْتُكُمْ نَارًا تَلَظَّىٰ ﴿١٤﴾

● Necessary prolongation 6 vowels	● Permissible prolongation 2,4,6 vowels	● Nazalization (ghunnah) 2 vowels	● Emphatic pronunciation
● Obligatory prolongation 4 or 5 vowels	● Normal prolongation 2 vowels	● Un announced (silent)	● Unrest letters (Echoing Sound)

Shams, or The Sun

In the name of Allah, Most Gracious, Most Merciful.

1. By the Sun and his
(glorious) splendour;
2. By the Moon as she
follows him; 3. By the
Day as it shows up (the
Sun's) glory; 4. By the
Night as it conceals it;
5. By the Firmament and
its (wonderful) structure;
6. By the Earth and its
(wide) expanse; 7. By the
Soul, and the proportion
and order given to it;
8. And its enlightenment as
to its wrong and its right;-
9. Truly he succeeds that
purifies it, 10. And he fails
that corrupts it! 11. The
Thamud (people) rejected
(their prophet) through
their inordinate wrong-
doing. 12. Behold, the most
wicked man among them
was deputed (for impiety).
13. But the apostle of
Allah said to them: "It
is a She-camel of Allah!
And (bar her not from)
having her drink!"
14. Then they rejected
him (as a false prophet),
and they hamstrung
her. So their Lord, on
account of their crime,
obliterated their traces
and made them equal (in
destruction, high and low)!
15. And for Him is no fear
of its consequences.

Lail, or The Night

In the name of Allah, Most Gracious, Most Merciful.

1. By the Night as it conceals (the light); 2. By the Day as it appears in glory; 3. By (the mystery of) the creation
of male and female;- 4. Verily, (the ends) ye strive for are diverse. 5. So he who gives (in charity) and fears (Allah,)
6. And (in all sincerity) testifies to the Best,- 7. We will indeed make smooth for him the path to Bliss. 8. But
he who is a greedy miser and thinks himself self-sufficient, 9. And gives the lie to the Best,-10. We will indeed
make smooth for him the Path to Misery; 11. Nor will his wealth profit him when he falls headlong (into the Pit).
12. Verily We take upon Ourselves to guide, 13. And verily unto Us (belong) the End and the Beginning.
14. Therefore do I warn you of a Fire blazing fiercely;

ḍ = ق
ḍ = ض
ġ = غ
ṭ = ط
s = س
ṣ = ص
ḥ = ح
z = ز
ẓ = ذ
ẓ = ظ
th = ث
kh = خ
sh = ش
j = ج
ʻ = ع
' = ء

Shams
Layl

Long Vowels
ee = ي
ou = و
â = ا

Short Vowels
i = ـِ (كسرة)
u = ـُ (ضمة)
a = ـَ (فتحة)

'aw = أَوْ
wa = وَ
'ay = أَيْ
yâ = يا

Bismi-LLâhir-Raḥmânir-Raḥeem

Wash-Shamsi waḍuḥâhâ (1) Wal-Ḍamari 'iẓâ
talâhâ (2) Wan-Nahâri 'iẓâ jallâhâ (3) Wal-Layli
'iẓâ yaġshâhâ (4) Was-samâ-'i wa mâ banâhâ (5) Wal-
'Arḍi wa mâ ṭaḥâhâ (6) Wa nafsinw-wa mâ sawwâhâ
(7) Fa-'alhamahâ fujourahâ wa taqwâhâ (8) Ḍad
'aflaḥa man-zakkâhâ (9) Wa ḍad khâba man-dassâhâ
(10) Kaẓẓabat Thamoudu biṭaġwâhâ (11) 'Iẓimba-ʻatha
'ashḍâhâ (12) Fa-ḍâla lahum Rasoulu-LLâhi Nâḍata-
LLâhi wa suḍyâhâ (13) Fa-kaẓẓabouhu fa-ʻaḍarouhâ
fadam-dama ʻalayhim Rabbuhum-biẓambihim
fasaw-wâhâ (14) Wa lâ yakhâfu ʻuqbâhâ (15)

LAYL

21 'Âyah — № 92

Bismi-LLâhir-Raḥmânir-Raḥeem

Wal-Layli 'iẓâ yaġshâ (1) Wan-Nahâri 'iẓâ tajallâ (2)
Wa mâ khalaḍaẓ-ẓakara wal-'unthâ (3) 'Inna saʻ-ya-
kum la-shattâ (4) Fa-'ammâ man 'aʻ-ṭâ wat-taḍâ (5)
Wa ṣaddaḍa bil-Ḥusnâ (6) Fasa-nuyas-siruhou lil-
Yusrâ (7) Wa 'ammâ mam-bakhila wastaġnâ (8) Wa
kaẓẓaba bil-Ḥusnâ (9) Fasa-nuyas-siruhou lil-ʻusrâ
(10) Wa mâ yuġnee ʻanhu mâluhou 'iẓâ taraddâ (11)
'Inna ʻalaynâ lal-hudâ (12) Wa 'inna lanâ lal-'Âkhirata
wal-'oulâ (13) Fa-'anẓartukum Nâran-talaẓẓâ (14)

Madd 6 ḥarakah · 4-5 ḥarakah · 2-4-6 ḥarakah · Ġunnah 2 ḥarakah · 'Idġâm · Tafkheem · Ḍalḍalah

لَا يَصْلَىٰهَآ إِلَّا ٱلْأَشْقَى ﴿١٥﴾ ٱلَّذِى كَذَّبَ وَتَوَلَّىٰ ﴿١٦﴾ وَسَيُجَنَّبُهَا
ٱلْأَتْقَى ﴿١٧﴾ ٱلَّذِى يُؤْتِى مَالَهُۥ يَتَزَكَّىٰ ﴿١٨﴾ وَمَا لِأَحَدٍ عِندَهُۥ مِن
نِّعْمَةٍ تُجْزَىٰٓ ﴿١٩﴾ إِلَّا ٱبْتِغَآءَ وَجْهِ رَبِّهِ ٱلْأَعْلَىٰ ﴿٢٠﴾ وَلَسَوْفَ يَرْضَىٰ ﴿٢١﴾

ترتيبها ٩٣ سُورَةُ الضُّحَىٰ آياتها ١١

بِسْمِ ٱللَّهِ ٱلرَّحْمَٰنِ ٱلرَّحِيمِ

وَٱلضُّحَىٰ ﴿١﴾ وَٱلَّيْلِ إِذَا سَجَىٰ ﴿٢﴾ مَا وَدَّعَكَ رَبُّكَ وَمَا قَلَىٰ ﴿٣﴾
وَلَلْءَاخِرَةُ خَيْرٌ لَّكَ مِنَ ٱلْأُولَىٰ ﴿٤﴾ وَلَسَوْفَ يُعْطِيكَ رَبُّكَ
فَتَرْضَىٰٓ ﴿٥﴾ أَلَمْ يَجِدْكَ يَتِيمًا فَـَٔاوَىٰ ﴿٦﴾ وَوَجَدَكَ ضَآلًّا
فَهَدَىٰ ﴿٧﴾ وَوَجَدَكَ عَآئِلًا فَأَغْنَىٰ ﴿٨﴾ فَأَمَّا ٱلْيَتِيمَ فَلَا تَقْهَرْ
﴿٩﴾ وَأَمَّا ٱلسَّآئِلَ فَلَا تَنْهَرْ ﴿١٠﴾ وَأَمَّا بِنِعْمَةِ رَبِّكَ فَحَدِّثْ ﴿١١﴾

ترتيبها ٩٤ سُورَةُ الشَّرْحِ آياتها ٨

بِسْمِ ٱللَّهِ ٱلرَّحْمَٰنِ ٱلرَّحِيمِ

أَلَمْ نَشْرَحْ لَكَ صَدْرَكَ ﴿١﴾ وَوَضَعْنَا عَنكَ وِزْرَكَ ﴿٢﴾ ٱلَّذِىٓ
أَنقَضَ ظَهْرَكَ ﴿٣﴾ وَرَفَعْنَا لَكَ ذِكْرَكَ ﴿٤﴾ فَإِنَّ مَعَ ٱلْعُسْرِ يُسْرًا ﴿٥﴾ إِنَّ
مَعَ ٱلْعُسْرِ يُسْرًا ﴿٦﴾ فَإِذَا فَرَغْتَ فَٱنصَبْ ﴿٧﴾ وَإِلَىٰ رَبِّكَ فَٱرْغَب ﴿٨﴾

● Necessary prolongation 6 vowels ● Permissible prolongation 2,4,6 vowels ● Nazalization (ghunnah) 2 vowels ● Emphatic pronunciation
● Obligatory prolongation 4 or 5 vowels ● Normal prolongation 2 vowels ● Un announced (silent) ● Unrest letters (Echoing Sound)

15. None shall reach
it but those most
unfortunate ones
16. Who give the lie
to Truth and turn their
backs. 17. But those
most devoted to Allah
shall be removed far
from it,- 18. Those
who spend their wealth
for increase in self-
purification, 19. And
have in their minds no
favour from anyone
for which a reward
is expected in return,
20. But only the desire to
seek for the Countenance
of their Lord Most High;
21. And soon will
they attain (complete)
satisfaction.

Dhuha, or The Glorious Morning Light

In the name of Allah, Most Gracious, Most Merciful.

1. By the Glorious
Morning Light,
2. And by the Night
when it is still,-
3. Thy Guardi -
an-Lord hath not
forsaken thee, nor is He
displeased. 4. And verily
the hereafter will be better
for thee than the present.
5. And soon will thy
GuardianLord give thee
(that wherewith) thou shalt
be well-pleased. 6. Did He not find thee an orphan and give thee shelter (and care)? 7. And He found thee wandering,
and He gave thee guidance. 8. And He found thee in need, and made thee independent. 9. Therefore, treat not the orphan
with harshness, 10. Nor repulse the petitioner (unheard); 11. But the Bounty of thy Lord- rehearse and proclaim!

نصف الحزب ٦٠

Inshirah, or The Expansion

In the name of Allah, Most Gracious, Most Merciful.

1. Have We not expanded thee thy breast?- 2. And removed from thee thy burden 3. The which did gall thy
back?- 4. And raised high the esteem (in which) thou (art held)? 5. So, verily, with every difficulty, there is relief:
6. Verily, with every difficulty there is relief. 7. Therefore, when thou art free (from thine immediate task), still
labour hard, 8. And to thy Lord turn (all) thy attention.

q = ق
d = ض
g = غ
t = ط
s = س
s = ص
h = ح
z = ز
z = ذ
z = ظ
th = ث
kh = خ
sh = ش
j = ج
‘ = ع
' = ء

Duha
Sharh

Long Vowels

ee = ي
ou = و
â = ا

Short Vowels

i = ــِــ (كسرة)
u = ــُــ (ضمة)
a = ــَــ (فتحة)

'aw = أَوْ
wa = وَ
'ay = أَيْ
yâ = يا

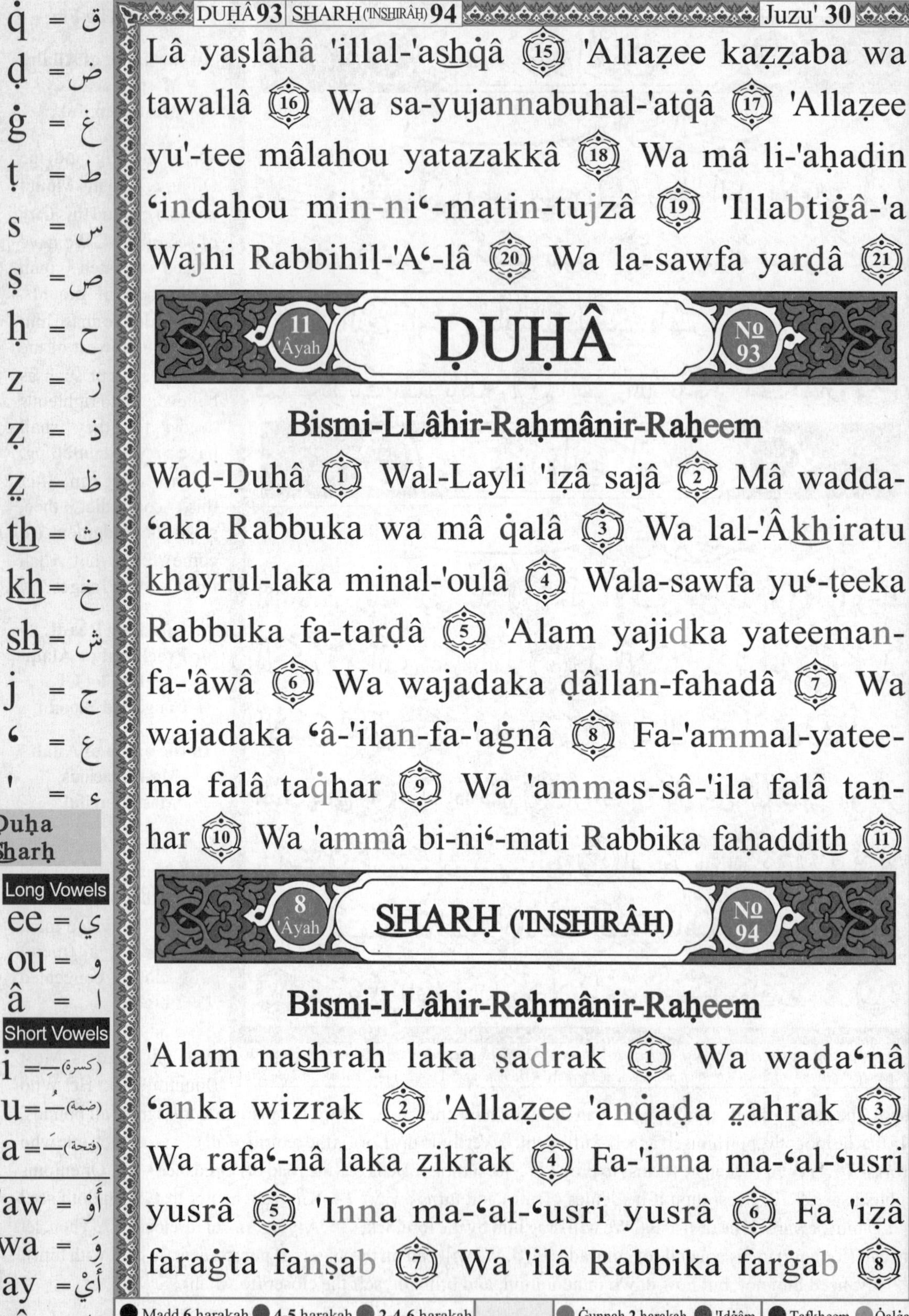

Lâ yaslâhâ 'illal-'ashqâ (15) 'Allazee kazzaba wa
tawallâ (16) Wa sa-yujannabuhal-'atqâ (17) 'Allazee
yu'-tee mâlahou yatazakkâ (18) Wa mâ li-'ahadin
‘indahou min-ni‘-matin-tujzâ (19) 'Illabtigâ-'a
Wajhi Rabbihil-'A‘-lâ (20) Wa la-sawfa yardâ (21)

DUHÂ

11 'Âyah — № 93

Bismi-LLâhir-Rahmânir-Raheem

Wad-Duhâ (1) Wal-Layli 'izâ sajâ (2) Mâ wadda-
‘aka Rabbuka wa mâ qalâ (3) Wa lal-'Âkhiratu
khayrul-laka minal-'oulâ (4) Wala-sawfa yu‘-teeka
Rabbuka fa-tardâ (5) 'Alam yajidka yateeman-
fa-'âwâ (6) Wa wajadaka dâllan-fahadâ (7) Wa
wajadaka ‘â-'ilan-fa-'agnâ (8) Fa-'ammal-yatee-
ma falâ taqhar (9) Wa 'ammas-sâ-'ila falâ tan-
har (10) Wa 'ammâ bi-ni‘-mati Rabbika fahaddith (11)

SHARH ('INSHIRÂH)

8 'Âyah — № 94

Bismi-LLâhir-Rahmânir-Raheem

'Alam nashrah laka sadrak (1) Wa wada‘nâ
‘anka wizrak (2) 'Allazee 'anqada zahrak (3)
Wa rafa‘-nâ laka zikrak (4) Fa-'inna ma-‘al-‘usri
yusrâ (5) 'Inna ma-‘al-‘usri yusrâ (6) Fa 'izâ
faragta fansab (7) Wa 'ilâ Rabbika fargab (8)

Madd 6 harakah | 4-5 harakah | 2-4-6 harakah | Gunnah 2 harakah | 'Idgâm | Tafkheem | Qalqalah

سُورَةُ التِّينِ

ترتيبها ٩٥ — آياتها ٨

بِسْمِ ٱللَّهِ ٱلرَّحْمَٰنِ ٱلرَّحِيمِ

وَٱلتِّينِ وَٱلزَّيْتُونِ ﴿١﴾ وَطُورِ سِينِينَ ﴿٢﴾ وَهَٰذَا ٱلْبَلَدِ ٱلْأَمِينِ ﴿٣﴾
لَقَدْ خَلَقْنَا ٱلْإِنسَٰنَ فِىٓ أَحْسَنِ تَقْوِيمٍ ﴿٤﴾ ثُمَّ رَدَدْنَٰهُ أَسْفَلَ سَٰفِلِينَ
﴿٥﴾ إِلَّا ٱلَّذِينَ ءَامَنُوا۟ وَعَمِلُوا۟ ٱلصَّٰلِحَٰتِ فَلَهُمْ أَجْرٌ غَيْرُ مَمْنُونٍ ﴿٦﴾
فَمَا يُكَذِّبُكَ بَعْدُ بِٱلدِّينِ ﴿٧﴾ أَلَيْسَ ٱللَّهُ بِأَحْكَمِ ٱلْحَٰكِمِينَ ﴿٨﴾

سُورَةُ العَلَقِ

ترتيبها ٩٦ — آياتها ١٩

بِسْمِ ٱللَّهِ ٱلرَّحْمَٰنِ ٱلرَّحِيمِ

ٱقْرَأْ بِٱسْمِ رَبِّكَ ٱلَّذِى خَلَقَ ﴿١﴾ خَلَقَ ٱلْإِنسَٰنَ مِنْ عَلَقٍ ﴿٢﴾ ٱقْرَأْ وَرَبُّكَ
ٱلْأَكْرَمُ ﴿٣﴾ ٱلَّذِى عَلَّمَ بِٱلْقَلَمِ ﴿٤﴾ عَلَّمَ ٱلْإِنسَٰنَ مَا لَمْ يَعْلَمْ ﴿٥﴾ كَلَّآ إِنَّ
ٱلْإِنسَٰنَ لَيَطْغَىٰٓ ﴿٦﴾ أَن رَّءَاهُ ٱسْتَغْنَىٰٓ ﴿٧﴾ إِنَّ إِلَىٰ رَبِّكَ ٱلرُّجْعَىٰٓ ﴿٨﴾ أَرَءَيْتَ
ٱلَّذِى يَنْهَىٰ ﴿٩﴾ عَبْدًا إِذَا صَلَّىٰٓ ﴿١٠﴾ أَرَءَيْتَ إِن كَانَ عَلَى ٱلْهُدَىٰٓ ﴿١١﴾ أَوْ أَمَرَ
بِٱلتَّقْوَىٰٓ ﴿١٢﴾ أَرَءَيْتَ إِن كَذَّبَ وَتَوَلَّىٰٓ ﴿١٣﴾ أَلَمْ يَعْلَم بِأَنَّ ٱللَّهَ يَرَىٰ ﴿١٤﴾ كَلَّا لَئِن
لَّمْ يَنتَهِ لَنَسْفَعًۢا بِٱلنَّاصِيَةِ ﴿١٥﴾ نَاصِيَةٍ كَٰذِبَةٍ خَاطِئَةٍ ﴿١٦﴾ فَلْيَدْعُ نَادِيَهُۥ
﴿١٧﴾ سَنَدْعُ ٱلزَّبَانِيَةَ ﴿١٨﴾ كَلَّا لَا تُطِعْهُ وَٱسْجُدْ وَٱقْتَرِب ۩ ﴿١٩﴾

Necessary prolongation 6 vowels	Permissible prolongation 2,4,6 vowels	Nazalization (ghunnah) 2 vowels	Emphatic pronunciation
Obligatory prolongation 4 or 5 vowels	Normal prolongation 2 vowels	Un announced (silent)	Unrest letters (Echoing Sound)

Tin, or The Fig

In the name of Allah, Most Gracious, Most Merciful.

1. By the Fig and the Olive, 2. And the Mount of Sinai, 3. And this City of security,- 4. We have indeed created man in the best of moulds, 5. Then do We abase him (to be) the lowest of the low,- 6. Except such as believe and do righteous deeds: for they shall have a reward unfailing. 7. Then what can, after this, contradict thee, as to the Judgment (to come)? 8. Is not Allah the wisest of Judges?

Iqraa, or Read! or Proclaim! or Alaq, or The Clot Of Congealed Blood

In the name of Allah, Most Gracious, Most Merciful.

1. Proclaim! (or Read!) In the name of thy Lord and Cherisher, who created 2. Created man, out of a (mere) clot of congealed blood:

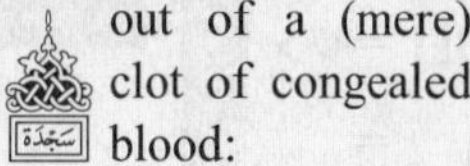

3. Proclaim! And thy Lord is Most Bountiful,- 4. He Who taught (the use of) the Pen,- 5. Taught man that which he knew not. 6. Nay, but man doth transgress all bounds, 7. In that he looketh upon himself as self- sufficient. 8. Verily, to thy Lord is the return (of all). 9. Seest thou one who forbids- 10. A votary when he (turns) to pray? 11. Seest thou if He is on (the road of) Guidance?- 12. Or enjoins Righteousness? 13. Seest thou if he denies (Truth) and turns away? 14. Knoweth he not that Allah doth see? 15. Let him beware! If he desist not, We will drag him by the forelock,- 16. A lying, sinful forelock! 17. Then, let him call (for help) to his council (of comrades): 18. We will call on the angels of punishment (to deal with him)! 19. Nay, heed him not: but bow down in adoration, and bring thyself the closer (to Allah)

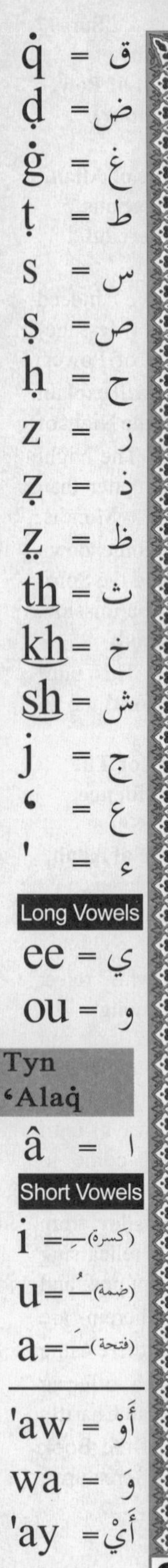

TEEN

Bismi-LLâhir-Raḥmânir-Raḥeem

Wat-Teeni waz-Zaytoun (1) Wa-Ṭouri Seeneen
(2) Wa hâẓal-Baladil-'ameen (3) Laq̇ad khalaq̇nal-
'insâna fee 'aḥsani taq̇weem (4) Thumma ra-
dadnâhu 'asfala sâfileen (5) 'Illal-laẓeena 'âma-
nou wa ‘amiluṣ-ṣâliḥâti falahum 'ajrun ġayru
mamnoun (6) Famâ yukaẓẓibuka ba‘-du bid-
Deen (7) 'Alay-sa-LLâhu bi-'Aḥkamil-ḥâkimeen (8)

‘ALAQ̇

Bismi-LLâhir-Raḥmânir-Raḥeem

'Iq̇ra' bismi Rabbikallaẓee khalaq̇ (1) Khalaq̇al-
'insâna min ‘alaq̇ (2) 'Iq̇ra' wa Rabbukal-'Akram (3)
'Allaẓee ‘allama bil-Q̇alam (4) ‘Allamal-'insâna mâ
lam ya‘-lam (5) Kallâ 'innal-'insâna la-yaṭġâ (6) 'Ar-
ra-'âhus-taġnâ (7) 'Inna 'ilâ Rabbikar-ruj-‘â (8) 'Ara-
'aytallaẓee yanhâ (9) ‘Abdan 'iẓâ ṣallâ (10) 'Ara-'ayta
'in-kâna ‘alal-Hudâ (11) 'Aw 'amara bit-Taq̇wâ (12)
'Ara-'ayta 'in-kaẓẓaba wa tawallâ (13) 'Alam ya‘-lam-
bi-'anna-LLâha yarâ (14) Kallâ la-'illam yantahi,
lanasfa-‘am-bin-nâṣiyah (15) Nâṣiyatin-kâẓibatin
khâṭi-'ah (16) Fal-yad-‘u nâdiyah (17) Sanad-‘uz-
zabâniyah (18) Kallâ lâ tuṭi‘-hu wasjud waq̇tarib (19)

سورة القدر

ترتيبها ٩٧ آياتها ٥

بِسْمِ ٱللَّهِ ٱلرَّحْمَٰنِ ٱلرَّحِيمِ

إِنَّآ أَنزَلْنَٰهُ فِى لَيْلَةِ ٱلْقَدْرِ ﴿١﴾ وَمَآ أَدْرَىٰكَ مَا لَيْلَةُ ٱلْقَدْرِ ﴿٢﴾
لَيْلَةُ ٱلْقَدْرِ خَيْرٌ مِّنْ أَلْفِ شَهْرٍ ﴿٣﴾ تَنَزَّلُ ٱلْمَلَٰٓئِكَةُ وَٱلرُّوحُ
فِيهَا بِإِذْنِ رَبِّهِم مِّن كُلِّ أَمْرٍ ﴿٤﴾ سَلَٰمٌ هِىَ حَتَّىٰ مَطْلَعِ ٱلْفَجْرِ ﴿٥﴾

سورة البينة

ترتيبها ٩٨ آياتها ٨

بِسْمِ ٱللَّهِ ٱلرَّحْمَٰنِ ٱلرَّحِيمِ

لَمْ يَكُنِ ٱلَّذِينَ كَفَرُوا۟ مِنْ أَهْلِ ٱلْكِتَٰبِ وَٱلْمُشْرِكِينَ مُنفَكِّينَ
حَتَّىٰ تَأْتِيَهُمُ ٱلْبَيِّنَةُ ﴿١﴾ رَسُولٌ مِّنَ ٱللَّهِ يَتْلُوا۟ صُحُفًا مُّطَهَّرَةً ﴿٢﴾
فِيهَا كُتُبٌ قَيِّمَةٌ ﴿٣﴾ وَمَا تَفَرَّقَ ٱلَّذِينَ أُوتُوا۟ ٱلْكِتَٰبَ إِلَّا مِنۢ
بَعْدِ مَا جَآءَتْهُمُ ٱلْبَيِّنَةُ ﴿٤﴾ وَمَآ أُمِرُوٓا۟ إِلَّا لِيَعْبُدُوا۟ ٱللَّهَ مُخْلِصِينَ
لَهُ ٱلدِّينَ حُنَفَآءَ وَيُقِيمُوا۟ ٱلصَّلَوٰةَ وَيُؤْتُوا۟ ٱلزَّكَوٰةَ ۚ وَذَٰلِكَ دِينُ
ٱلْقَيِّمَةِ ﴿٥﴾ إِنَّ ٱلَّذِينَ كَفَرُوا۟ مِنْ أَهْلِ ٱلْكِتَٰبِ وَٱلْمُشْرِكِينَ
فِى نَارِ جَهَنَّمَ خَٰلِدِينَ فِيهَآ ۚ أُو۟لَٰٓئِكَ هُمْ شَرُّ ٱلْبَرِيَّةِ ﴿٦﴾ إِنَّ
ٱلَّذِينَ ءَامَنُوا۟ وَعَمِلُوا۟ ٱلصَّٰلِحَٰتِ أُو۟لَٰٓئِكَ هُمْ خَيْرُ ٱلْبَرِيَّةِ ﴿٧﴾

- Necessary prolongation 6 vowels
- Obligatory prolongation 4 or 5 vowels
- Permissible prolongation 2,4,6 vowels
- Normal prolongation 2 vowels
- Nazalization (ghunnah) 2 vowels
- Un announced (silent)
- Emphatic pronunciation
- Unrest letters (Echoing Sound)

Qadr, or The Night of Power (or Honour).

In the name of Allah, Most Gracious, Most Merciful.

1. We have indeed revealed this (Message) in the Night of Power: 2. And what will explain to thee what the Night of Power is? 3. The Night of Power is better than a thousand Months. 4. Therein come down the angels and the Spirit by Allah's permission, on every errand: 5. Peace!.... This until the rise of Morn!

Baiyina, or The Clear Evidence.

In the name of Allah, Most Gracious, Most Merciful.

1. Those who reject (Truth), among the People of the Book and among the Polytheists, were not going to depart (from their ways) until there should come to them Clear Evidence, 2. An apostle from Allah, rehearsing scriptures kept pure and holy: 3. Wherein are laws (or decrees) right and straight. 4. Nor did the People of the Book make schisms, until after there came to them Clear Evidence. 5. And they have been commanded no more than this: to worship Allah, offering Him sincere devotion, being True (in faith); to establish regular Prayer; and to practise regular Charity; and that is the Religion Right and Straight. 6. Those who reject (Truth), among the People of the Book and among the Polytheists, will be in hell-fire, to dwell therein (for aye). They are the worst of creatures. 7. Those who have faith and do righteous deeds,- they are the best of creatures.

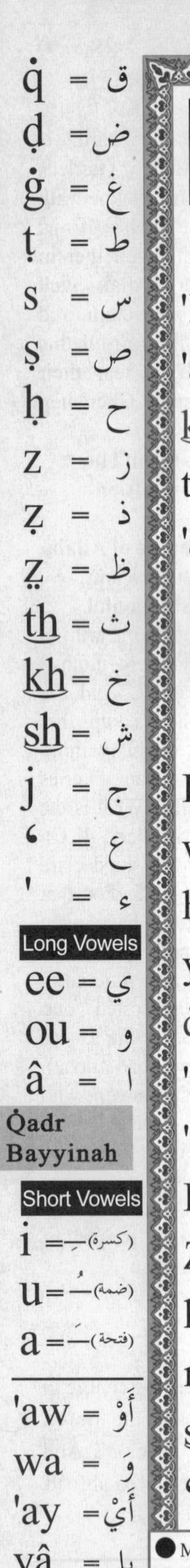

Q̇ADR

Bismi-LLâhir-Raḥmânir-Raḥeem

'Innâ 'anzalnâhu fee Laylatil-Q̇ADR (1) Wa mâ
'adrâka mâ Laylatul-Q̇adr (2) Laylatul-Q̇adri
khayrum-min 'alfi Shahr (3) Tanazzalul-malâ-'ika-
tu war-Rouḥu feehâ bi-'iẓni Rabbihim-min-kulli
'amr (4) Salâmun Hiya ḥattâ maṭla-ʿil-Fajr (5)

BAYYINAH

Bismi-LLâhir-Raḥmânir-Raḥeem

Lam yakunil-laẓeena kafarou min 'Ahlil-Kitâbi
wal-Mushrikeena munfakkeena ḥattâ ta'-tiya-
humul-Bayyinah (1) Rasoulum-mina-LLâhi
yatlou ṣuḥufammuṭahharah (2) Feehâ kutubun-
q̇ayyimah (3) Wa mâ tafarra-q̇allaẓeena 'outul-Kitâba
'illâ mim-baʿ-di mâ jâ-'at-humul-Bayyinah (4) Wa mâ
'umirou 'illâ liyaʿ-budu-LLâha mukhliṣeena lahud-
Deena ḥunafâ-'a wa yuq̇eemuṣ-Ṣalâta wa yu'-tuz-
Zakâh; wa ẓâlika Deenul-Q̇ayyimah (5) 'Innallaẓeena
kafarou min 'Ahlil-Kitâbi wal-Mushrikeena fee
nâri Jahannama khâlideena feehâ. 'Ulâ-'ika hum
sharrul-bariyyah (6) 'Innallaẓeena 'âmanou wa
ʿamiluṣ-ṣâliḥâti 'ulâ-'ika hum khayrul-bariyyah (7)

● Madd 6 ḥarakah ● 4-5 ḥarakah ● 2-4-6 ḥarakah | ● Ġunnah 2 ḥarakah ● 'Idġâm | ● Tafkheem ● Q̇alq̇alah

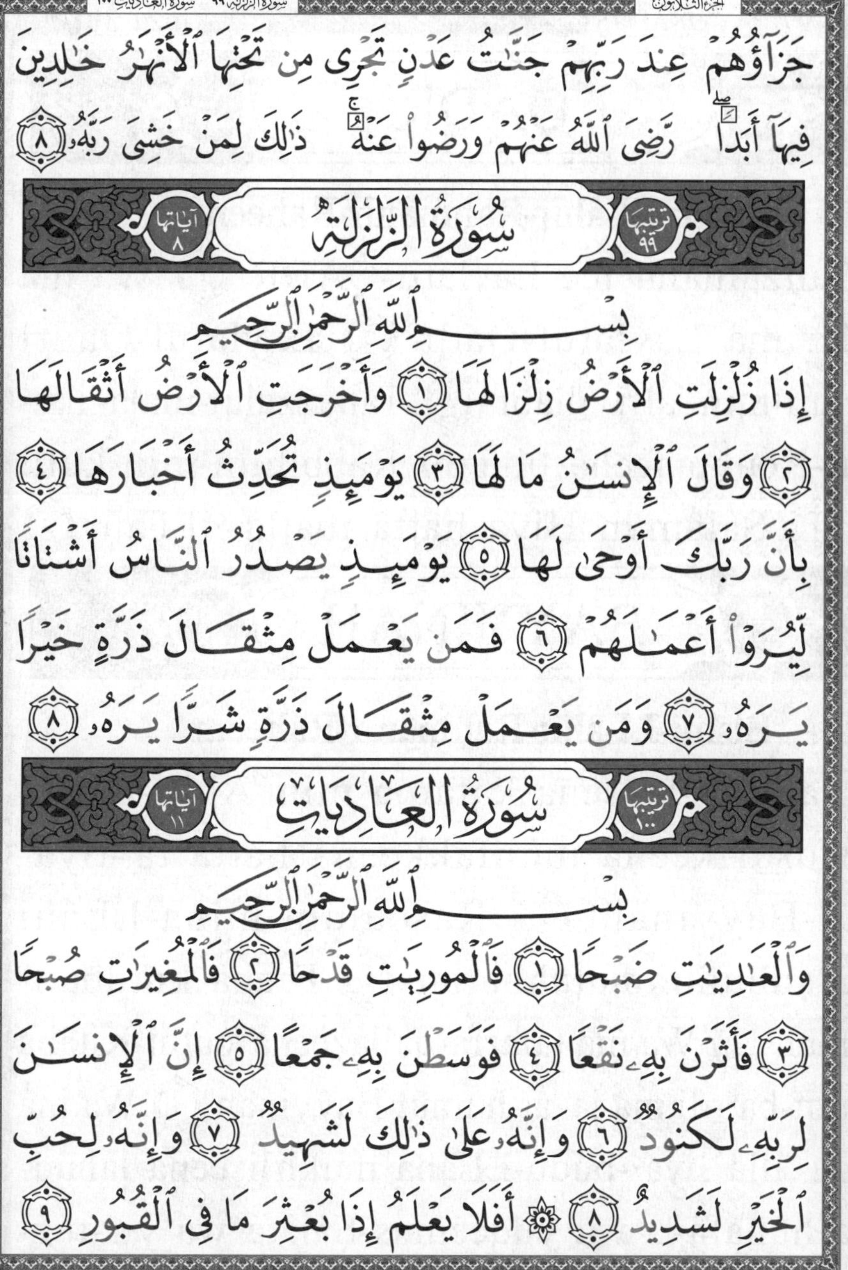

جَزَآؤُهُمْ عِندَ رَبِّهِمْ جَنَّٰتُ عَدْنٍ تَجْرِى مِن تَحْتِهَا ٱلْأَنْهَٰرُ خَٰلِدِينَ
فِيهَآ أَبَدًا ۖ رَّضِىَ ٱللَّهُ عَنْهُمْ وَرَضُوا۟ عَنْهُ ۚ ذَٰلِكَ لِمَنْ خَشِىَ رَبَّهُۥ ٨

سُورَةُ الزَّلْزَلَةِ — ترتيبها ٩٩ — آياتها ٨

بِسْمِ ٱللَّهِ ٱلرَّحْمَٰنِ ٱلرَّحِيمِ

إِذَا زُلْزِلَتِ ٱلْأَرْضُ زِلْزَالَهَا ١ وَأَخْرَجَتِ ٱلْأَرْضُ أَثْقَالَهَا
٢ وَقَالَ ٱلْإِنسَٰنُ مَا لَهَا ٣ يَوْمَئِذٍ تُحَدِّثُ أَخْبَارَهَا ٤
بِأَنَّ رَبَّكَ أَوْحَىٰ لَهَا ٥ يَوْمَئِذٍ يَصْدُرُ ٱلنَّاسُ أَشْتَاتًا
لِّيُرَوْا۟ أَعْمَٰلَهُمْ ٦ فَمَن يَعْمَلْ مِثْقَالَ ذَرَّةٍ خَيْرًا
يَرَهُۥ ٧ وَمَن يَعْمَلْ مِثْقَالَ ذَرَّةٍ شَرًّا يَرَهُۥ ٨

سُورَةُ العَادِيَاتِ — ترتيبها ١٠٠ — آياتها ١١

بِسْمِ ٱللَّهِ ٱلرَّحْمَٰنِ ٱلرَّحِيمِ

وَٱلْعَٰدِيَٰتِ ضَبْحًا ١ فَٱلْمُورِيَٰتِ قَدْحًا ٢ فَٱلْمُغِيرَٰتِ صُبْحًا
٣ فَأَثَرْنَ بِهِۦ نَقْعًا ٤ فَوَسَطْنَ بِهِۦ جَمْعًا ٥ إِنَّ ٱلْإِنسَٰنَ
لِرَبِّهِۦ لَكَنُودٌ ٦ وَإِنَّهُۥ عَلَىٰ ذَٰلِكَ لَشَهِيدٌ ٧ وَإِنَّهُۥ لِحُبِّ
ٱلْخَيْرِ لَشَدِيدٌ ٨ ۞ أَفَلَا يَعْلَمُ إِذَا بُعْثِرَ مَا فِى ٱلْقُبُورِ ٩

Necessary prolongation 6 vowels	Permissible prolongation 2,4,6 vowels	Nazalization (ghunnah) 2 vowels	Emphatic pronunciation
Obligatory prolongation 4 or 5 vowels	Normal prolongation 2 vowels	Un announced (silent)	Unrest letters (Echoing Sound)

8. Their reward is with Allah: Gardens of Eternity, beneath which rivers flow; they will dwell therein for ever; Allah well pleased with them, and they with Him: all this for such as fear their Lord and Cherisher.

Zilzal, or The Convulsion

In the name of Allah, Most Gracious, Most Merciful.

1. When the Earth is shaken to her (utmost) convulsion, 2. And the Earth throws up her burdens (from within), 3. And man cries (distressed): 'What is the matter with her?' 4. On that Day will she declare her tidings: 5. For that thy Lord will have given her inspiration. 6. On that Day will men proceed in companies sorted out, to be shown the Deeds that they (had done). 7. Then shall anyone who has done an atom's weight of good, see it! 8. And anyone who has done an atom's weight of evil, shall see it.

ثلاثة أرباع الحزب ٦٠

Adiyat, or Those that run.

In the name of Allah, Most Gracious, Most Merciful.

1. By the (Steeds) that run, with panting (breath), 2. And strike sparks of fire, 3. And push home the charge in the morning, 4. And raise the dust in clouds the while, 5. And penetrate forthwith into the midst (of the foe) en masse;- 6. Truly Man is, to his Lord, Ungrateful; 7. And to that (fact) He bears witness (by his deeds); 8. And violent is he in his love of wealth. 9. Does he not know,- when that which is in the graves is scattered abroad

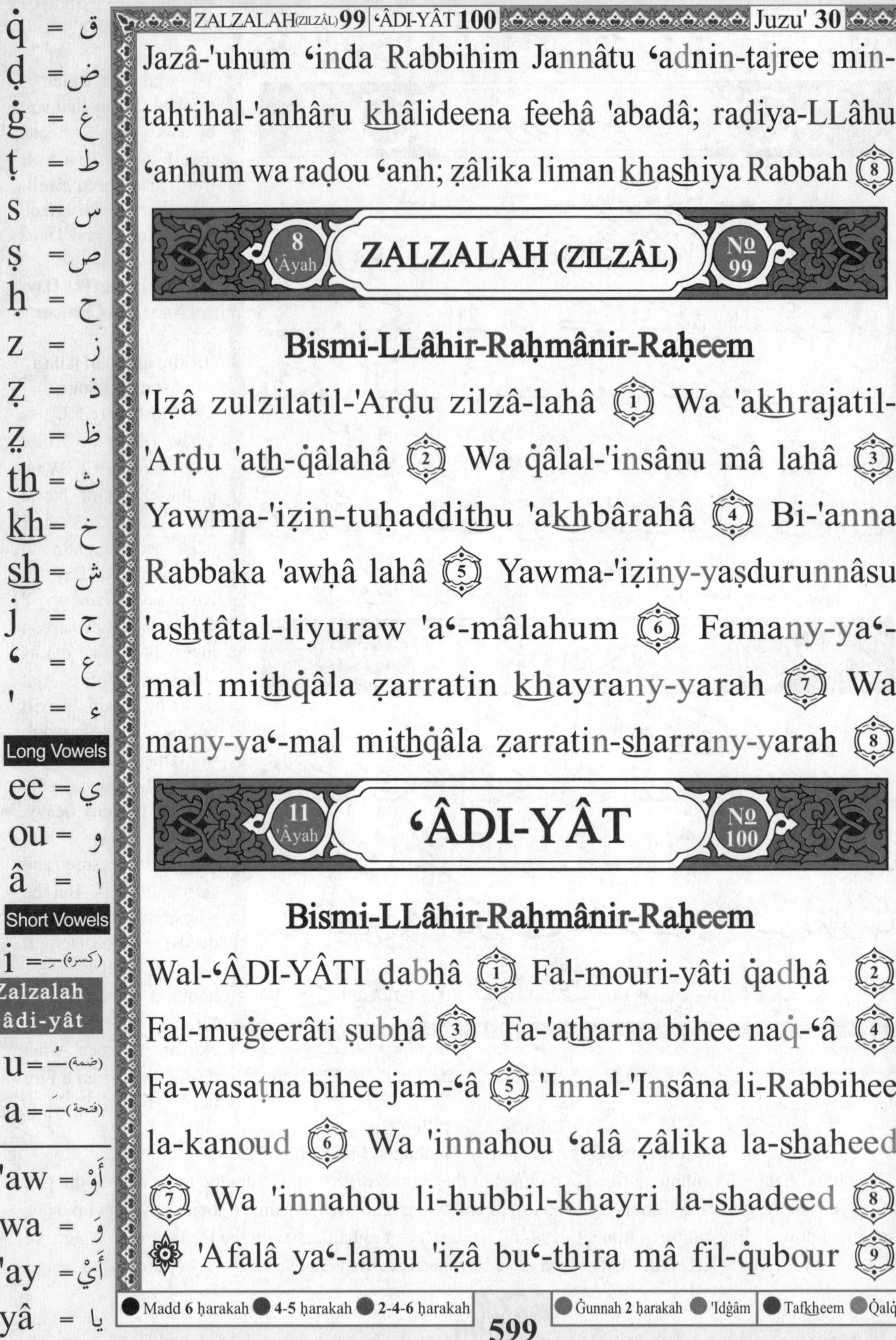

ḋ = ق
ḍ = ض
ġ = غ
ṭ = ط
s = س
ṣ = ص
ḥ = ح
z = ز
ẓ = ذ
ẕ = ظ
th = ث
kh = خ
sh = ش
j = ج
‘ = ع
' = ء

Long Vowels

ee = ي
ou = و
â = ا

Short Vowels

i = ـِ (كسرة)

Zalzalah
‘âdi-yât

u = ـُ (ضمة)
a = ـَ (فتحة)

'aw = أَوْ
wa = وَ
'ay = أَيْ
yâ = يا

Jazâ-'uhum ‘inda Rabbihim Jannâtu ‘adnin-tajree min-
taḥtihal-'anhâru khâlideena feehâ 'abadâ; raḍiya-LLâhu
‘anhum wa raḍou ‘anh; ẓâlika liman khashiya Rabbah (8)

8 'Âyah — ZALZALAH (ZILZÂL) — № 99

Bismi-LLâhir-Raḥmânir-Raḥeem

'Iẓâ zulzilatil-'Arḍu zilzâ-lahâ (1) Wa 'akhrajatil-
'Arḍu 'ath-ḋâlahâ (2) Wa ḋâlal-'insânu mâ lahâ (3)
Yawma-'iẓin-tuḥaddithu 'akhbârahâ (4) Bi-'anna
Rabbaka 'awḥâ lahâ (5) Yawma-'iẓiny-yaṣdurunnâsu
'ashtâtal-liyuraw 'a‘-mâlahum (6) Famany-ya‘-
mal mithḋâla ẓarratin khayrany-yarah (7) Wa
many-ya‘-mal mithḋâla ẓarratin-sharrany-yarah (8)

11 'Âyah — ‘ÂDI-YÂT — № 100

Bismi-LLâhir-Raḥmânir-Raḥeem

Wal-‘ÂDI-YÂTI ḍabḥâ (1) Fal-mouri-yâti ḋadḥâ (2)
Fal-muġeerâti ṣubḥâ (3) Fa-'atharna bihee naḋ-‘â (4)
Fa-wasaṭna bihee jam-‘â (5) 'Innal-'Insâna li-Rabbihee
la-kanoud (6) Wa 'innahou ‘alâ ẓâlika la-shaheed
(7) Wa 'innahou li-ḥubbil-khayri la-shadeed (8)
۞ 'Afalâ ya‘-lamu 'iẓâ bu‘-thira mâ fil-ḋubour (9)

وَحُصِّلَ مَا فِي ٱلصُّدُورِ ﴿١٠﴾ إِنَّ رَبَّهُم بِهِمْ يَوْمَئِذٍ لَّخَبِيرٌۢ ﴿١١﴾

سُورَةُ القَارِعَةِ — ترتيبها ١٠١ — آياتها ١١

بِسْمِ ٱللَّهِ ٱلرَّحْمَٰنِ ٱلرَّحِيمِ

ٱلْقَارِعَةُ ﴿١﴾ مَا ٱلْقَارِعَةُ ﴿٢﴾ وَمَآ أَدْرَىٰكَ مَا ٱلْقَارِعَةُ
﴿٣﴾ يَوْمَ يَكُونُ ٱلنَّاسُ كَٱلْفَرَاشِ ٱلْمَبْثُوثِ ﴿٤﴾
وَتَكُونُ ٱلْجِبَالُ كَٱلْعِهْنِ ٱلْمَنفُوشِ ﴿٥﴾ فَأَمَّا
مَن ثَقُلَتْ مَوَٰزِينُهُۥ ﴿٦﴾ فَهُوَ فِي عِيشَةٍ رَّاضِيَةٍ
﴿٧﴾ وَأَمَّا مَنْ خَفَّتْ مَوَٰزِينُهُۥ ﴿٨﴾ فَأُمُّهُۥ هَاوِيَةٌ
﴿٩﴾ وَمَآ أَدْرَىٰكَ مَا هِيَهْ ﴿١٠﴾ نَارٌ حَامِيَةٌۢ ﴿١١﴾

سُورَةُ التَّكَاثُرِ — ترتيبها ١٠٢ — آياتها ٨

بِسْمِ ٱللَّهِ ٱلرَّحْمَٰنِ ٱلرَّحِيمِ

أَلْهَىٰكُمُ ٱلتَّكَاثُرُ ﴿١﴾ حَتَّىٰ زُرْتُمُ ٱلْمَقَابِرَ ﴿٢﴾ كَلَّا سَوْفَ
تَعْلَمُونَ ﴿٣﴾ ثُمَّ كَلَّا سَوْفَ تَعْلَمُونَ ﴿٤﴾ كَلَّا لَوْ تَعْلَمُونَ
عِلْمَ ٱلْيَقِينِ ﴿٥﴾ لَتَرَوُنَّ ٱلْجَحِيمَ ﴿٦﴾ ثُمَّ لَتَرَوُنَّهَا
عَيْنَ ٱلْيَقِينِ ﴿٧﴾ ثُمَّ لَتُسْـَٔلُنَّ يَوْمَئِذٍ عَنِ ٱلنَّعِيمِ ﴿٨﴾

• Necessary prolongation 6 vowels • Permissible prolongation 2,4,6 vowels • Nazalization (ghunnah) 2 vowels • Emphatic pronunciation
• Obligatory prolongation 4 or 5 vowels • Normal prolongation 2 vowels • Un announced (silent) • Unrest letters (Echoing Sound)

10. And that which is (locked up) in (human) breasts is made manifest- 11. That their Lord had been well-acquainted with them, (even to) that Day?

Al-Qari'a, or The Day of Noise and Clamour.

In the name of Allah, Most Gracious, Most Merciful.

1.The (Day) of Noise and Clamour: 2. What is the (Day) of Noise and Clamour? 3. And what will explain to thee what the (Day) of Noise and Clamour is? 4. (It is) a Day whereon men will be like moths scattered about, 5. And the mountains will be like carded wool. 6. Then, he whose balance (of good deeds) will be (found) heavy, 7. Will be in a Life of good pleasure and satisfaction. 8. But he whose balance (of good deeds) will be (found) light,- 9. Will have his home in a (bottomless) Pit. 10. And what will explain to thee what this is? 11. (It is) a Fire blazing fiercely!

Takathur, or Piling Up

In the name of Allah, Most Gracious, Most Merciful.

1. The mutual rivalry for piling up (the good things of this world) diverts you (from the more serious things),
2. Until ye visit the graves. 3. But nay, ye soon shall know (the reality). 4. Again, ye soon shall know! 5. Nay,
were ye to know with certainty of mind, (ye would beware!) 6. Ye shall certainly see Hell - fire! 7. Again, ye
shall see it with certainty of sight! 8. Then, shall ye be questioned that Day about the joy (ye indulged in!)

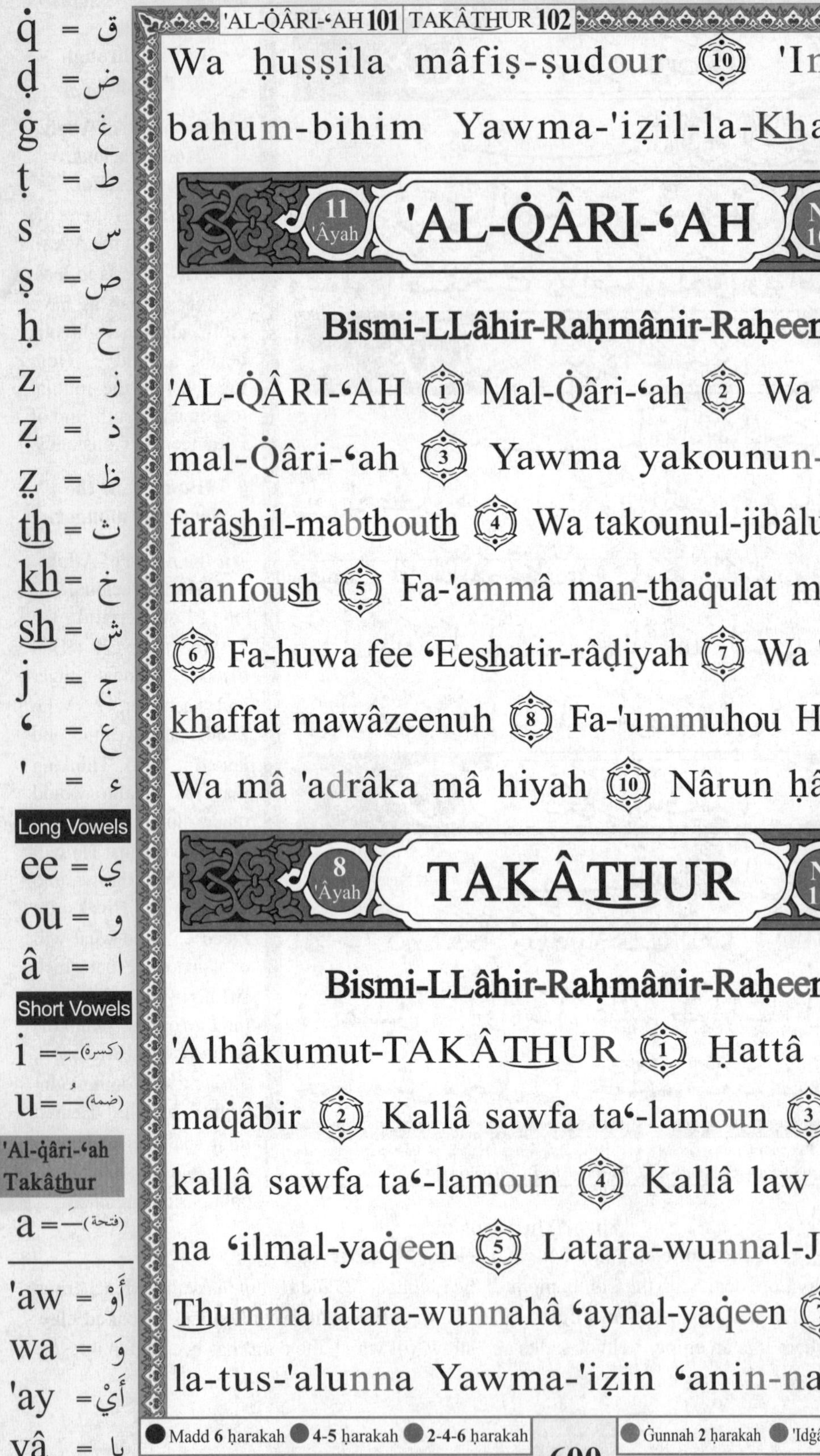

Wa ḥuṣṣila mâfiṣ-ṣudour (10) 'Inna Rab-
bahum-bihim Yawma-'iẓil-la-Khabeer (11)

'AL-ǪÂRI-‘AH

11 'Âyah — № 101

Bismi-LLâhir-Raḥmânir-Raḥeem

'AL-ǪÂRI-‘AH (1) Mal-Ǫâri-‘ah (2) Wa mâ 'adrâka
mal-Ǫâri-‘ah (3) Yawma yakounun-nâsu kal-
farâshil-mabthouth (4) Wa takounul-jibâlu kal-‘ihnil-
manfoush (5) Fa-'ammâ man-thaǫulat mawâzeenuh
(6) Fa-huwa fee ‘Eeshatir-râḍiyah (7) Wa 'ammâ man
khaffat mawâzeenuh (8) Fa-'ummuhou Hâwiyah (9)
Wa mâ 'adrâka mâ hiyah (10) Nârun ḥâmiyah (11)

TAKÂTHUR

8 'Âyah — № 102

Bismi-LLâhir-Raḥmânir-Raḥeem

'Alhâkumut-TAKÂTHUR (1) Ḥattâ zurtumul-
maǫâbir (2) Kallâ sawfa ta‘-lamoun (3) Thumma
kallâ sawfa ta‘-lamoun (4) Kallâ law ta‘-lamou-
na ‘ilmal-yaǫeen (5) Latara-wunnal-Jaḥeem (6)
Thumma latara-wunnahâ ‘aynal-yaǫeen (7) Thumma
la-tus-'alunna Yawma-'iẓin ‘anin-na-‘eem (8)

● Madd 6 ḥarakah ● 4-5 ḥarakah ● 2-4-6 ḥarakah ● Ġunnah 2 ḥarakah ● 'Idġâm ● Tafkheem ● Ǫalǫala

ǫ = ق
ḍ = ض
ġ = غ
ṭ = ط
s = س
ṣ = ص
ḥ = ح
z = ز
ẓ = ذ
ẕ = ظ
th = ث
kh = خ
sh = ش
j = ج
‘ = ع
' = ء

Long Vowels
ee = ي
ou = و
â = ا

Short Vowels
i = ـِ (كسرة)
u = ـُ (ضمة)

'Al-ǫâri-‘ah Takâthur

a = ـَ (فتحة)

'aw = أَوْ
wa = وَ
'ay = أَيْ
yâ = يا

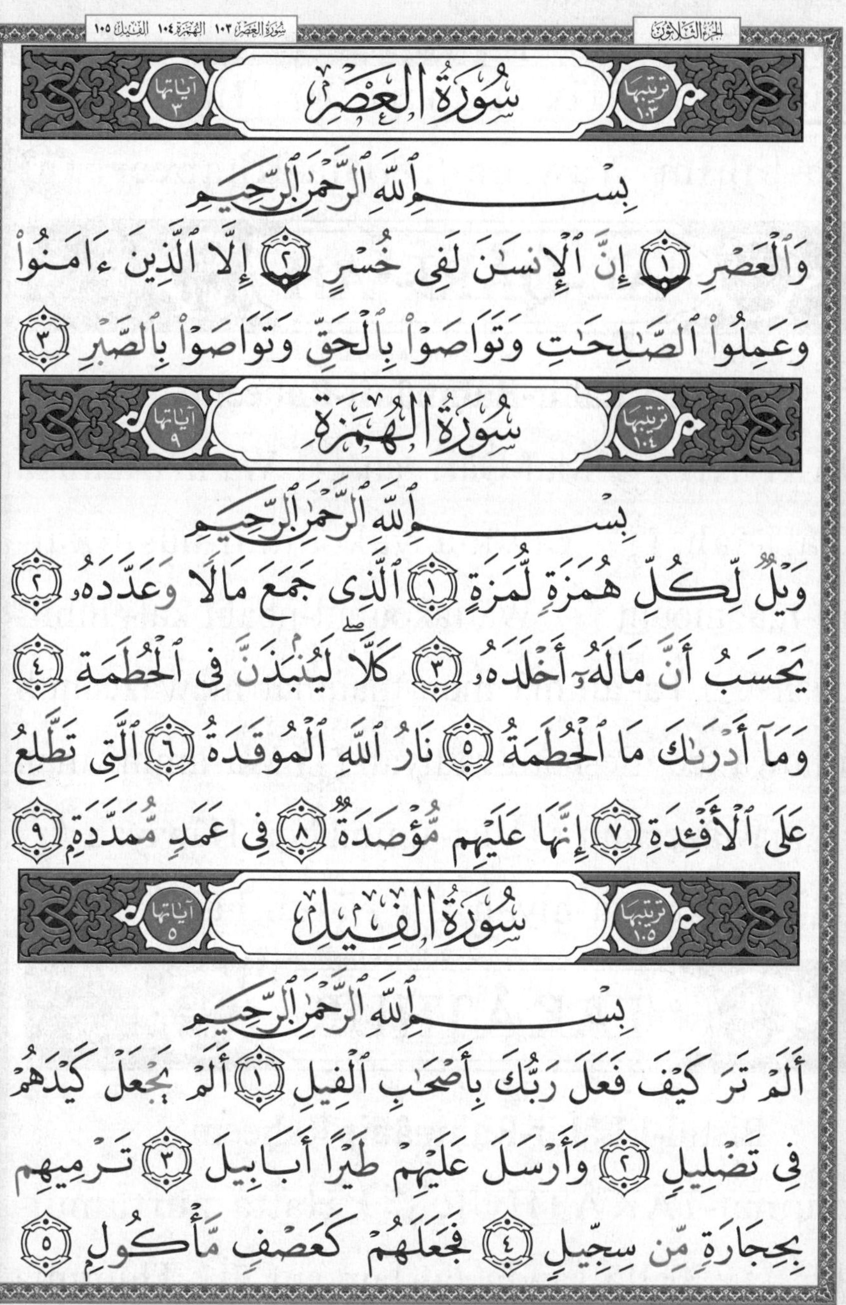

سورة العصر — ترتيبها ١٠٣ — آياتها ٣

بسم الله الرحمن الرحيم

والعصر ﴿١﴾ إن الإنسان لفي خسر ﴿٢﴾ إلا الذين ءامنوا
وعملوا الصلحت وتواصوا بالحق وتواصوا بالصبر ﴿٣﴾

سورة الهمزة — ترتيبها ١٠٤ — آياتها ٩

بسم الله الرحمن الرحيم

ويل لكل همزة لمزة ﴿١﴾ الذي جمع مالا وعدده ﴿٢﴾
يحسب أن ماله أخلده ﴿٣﴾ كلا لينبذن في الحطمة ﴿٤﴾
وما أدرىك ما الحطمة ﴿٥﴾ نار الله الموقدة ﴿٦﴾ التي تطلع
على الأفئدة ﴿٧﴾ إنها عليهم مؤصدة ﴿٨﴾ في عمد ممددة ﴿٩﴾

سورة الفيل — ترتيبها ١٠٥ — آياتها ٥

بسم الله الرحمن الرحيم

ألم تر كيف فعل ربك بأصحب الفيل ﴿١﴾ ألم يجعل كيدهم
في تضليل ﴿٢﴾ وأرسل عليهم طيرا أبابيل ﴿٣﴾ ترميهم
بحجارة من سجيل ﴿٤﴾ فجعلهم كعصف مأكول ﴿٥﴾

● Necessary prolongation 6 vowels	● Permissible prolongation 2,4,6 vowels	● Nazalization (ghunnah) 2 vowels	● Emphatic pronunciation
● Obligatory prolongation 4 or 5 vowels	● Normal prolongation 2 vowels	● Un announced (silent)	● Unrest letters (Echoing Sound)

Asr, or Tim through the Ages

In the name of Allah, Most Gracious, Most Merciful.

1. By (the Token of) time (through the Ages), 2. Verily Man is in loss, 3. Except such as have Faith, and do righteous deeds, and (join together) in the mutual teaching of Truth, and of Patience and Constancy.

Humaza, or the Scandal - monger

In the name of Allah, Most Gracious, Most Merciful.

1. Woe to every (Kind of) scandalmonger and backbiter, 2. Who pileth up wealth and layeth it by, 3. Thinking that his wealth would make him last for ever! 4. By no means! He will be sure to be thrown into that which Breaks to Pieces. 5. And what will explain to thee that which Breaks to Pieces? 6. (It is) the Fire of (the Wrath of) Allah kindled (to a blaze), 7. The which doth mount (right) to the Hearts: 8. It shall be made into a vault over them, 9. In columns outstretched.

Fil, or The Elephant

In the name of Allah, Most Gracious, Most Merciful.

1. Seest thou not how thy Lord dealt with the Companions of the Elephant? 2. Did He not make their treacherous plan go astray? 3. And He sent against them Flights of Birds, 4. Striking them with stones of baked clay. 5. Then did He make them like an empty field of stalks and straw, (of which the corn) has been eaten up.

ḍ = ق
ḍ = ض
ġ = غ
ṭ = ط
s = س
ṣ = ص
ḥ = ح
z = ز
ẓ = ذ
ẓ = ظ
th = ث
kh = خ
sh = ش
j = ج
' = ع
' = ء

Long Vowels

ee = ي
ou = و
â = ا

Short Vowels

i = ـِ (كسرة)
u = ـُ (ضمة)
a = ـَ (فتحة)

'Aṣr Humazah Feel

'aw = أَوْ
wa = وَ
'ay = أَيْ
yâ = يا

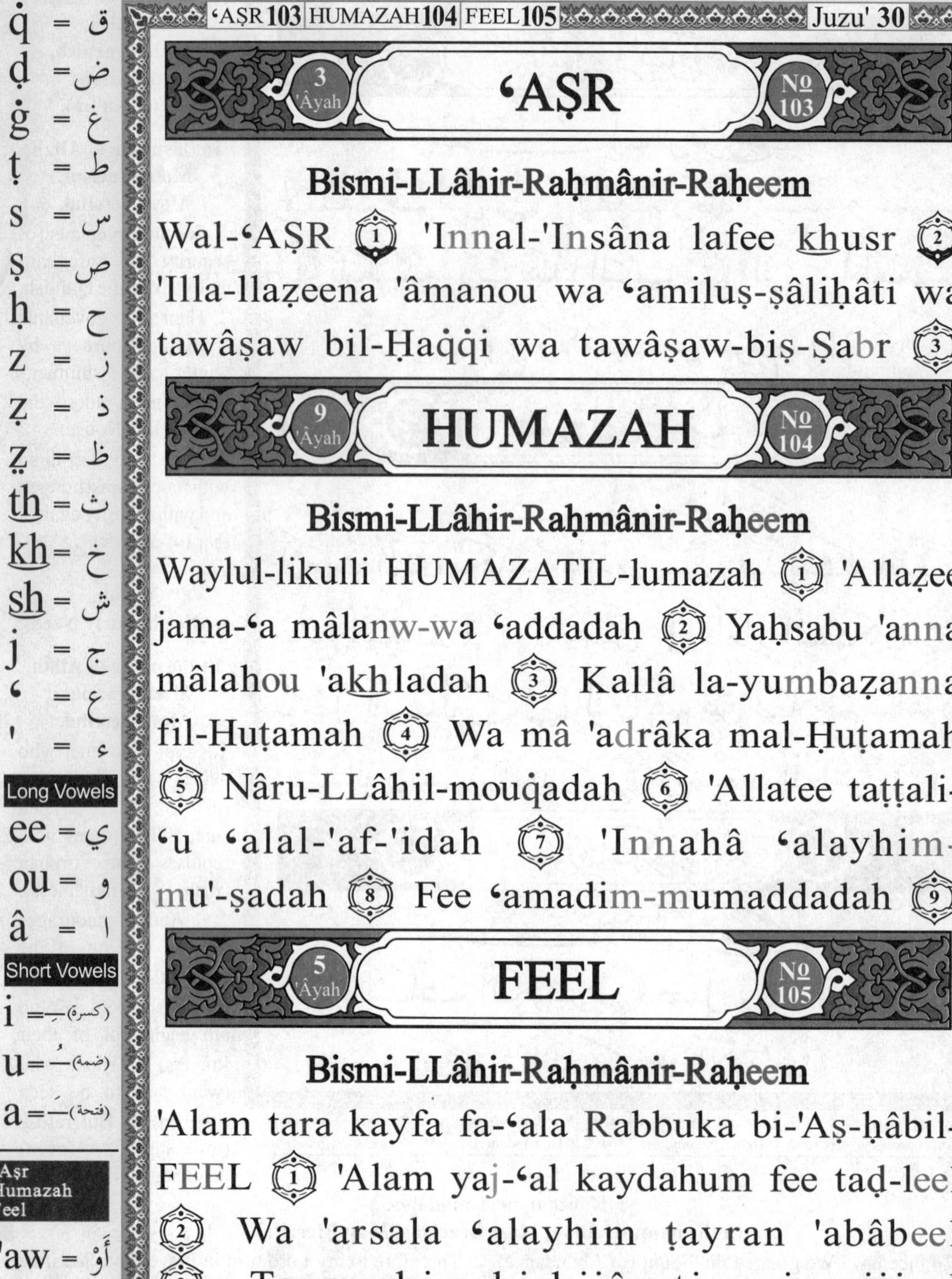

'AṢR

3 'Âyah — № 103

Bismi-LLâhir-Raḥmânir-Raḥeem

Wal-'AṢR (1) 'Innal-'Insâna lafee khusr (2)
'Illa-llaẓeena 'âmanou wa 'amiluṣ-ṣâliḥâti wa
tawâṣaw bil-Ḥaqqi wa tawâṣaw-biṣ-Ṣabr (3)

HUMAZAH

9 'Âyah — № 104

Bismi-LLâhir-Raḥmânir-Raḥeem

Waylul-likulli HUMAZATIL-lumazah (1) 'Allaẓee
jama-'a mâlanw-wa 'addadah (2) Yaḥsabu 'anna
mâlahou 'akhladah (3) Kallâ la-yumbaẓanna
fil-Ḥuṭamah (4) Wa mâ 'adrâka mal-Ḥuṭamah
(5) Nâru-LLâhil-mouqadah (6) 'Allatee taṭṭali-
'u 'alal-'af-'idah (7) 'Innahâ 'alayhim-
mu'-ṣadah (8) Fee 'amadim-mumaddadah (9)

FEEL

5 'Âyah — № 105

Bismi-LLâhir-Raḥmânir-Raḥeem

'Alam tara kayfa fa-'ala Rabbuka bi-'Aṣ-ḥâbil-
FEEL (1) 'Alam yaj-'al kaydahum fee taḍ-leel
(2) Wa 'arsala 'alayhim ṭayran 'abâbeel
(3) Tarmeehim-bi-ḥijâratimmin-sijjeel
(4) Faja-'alahum ka-'aṣfim-ma'-koul (5)

Madd 6 ḥarakah · 4-5 ḥarakah · 2-4-6 ḥarakah | Ġunnah 2 ḥarakah · 'Idġâm · Tafkheem · Qalqalah

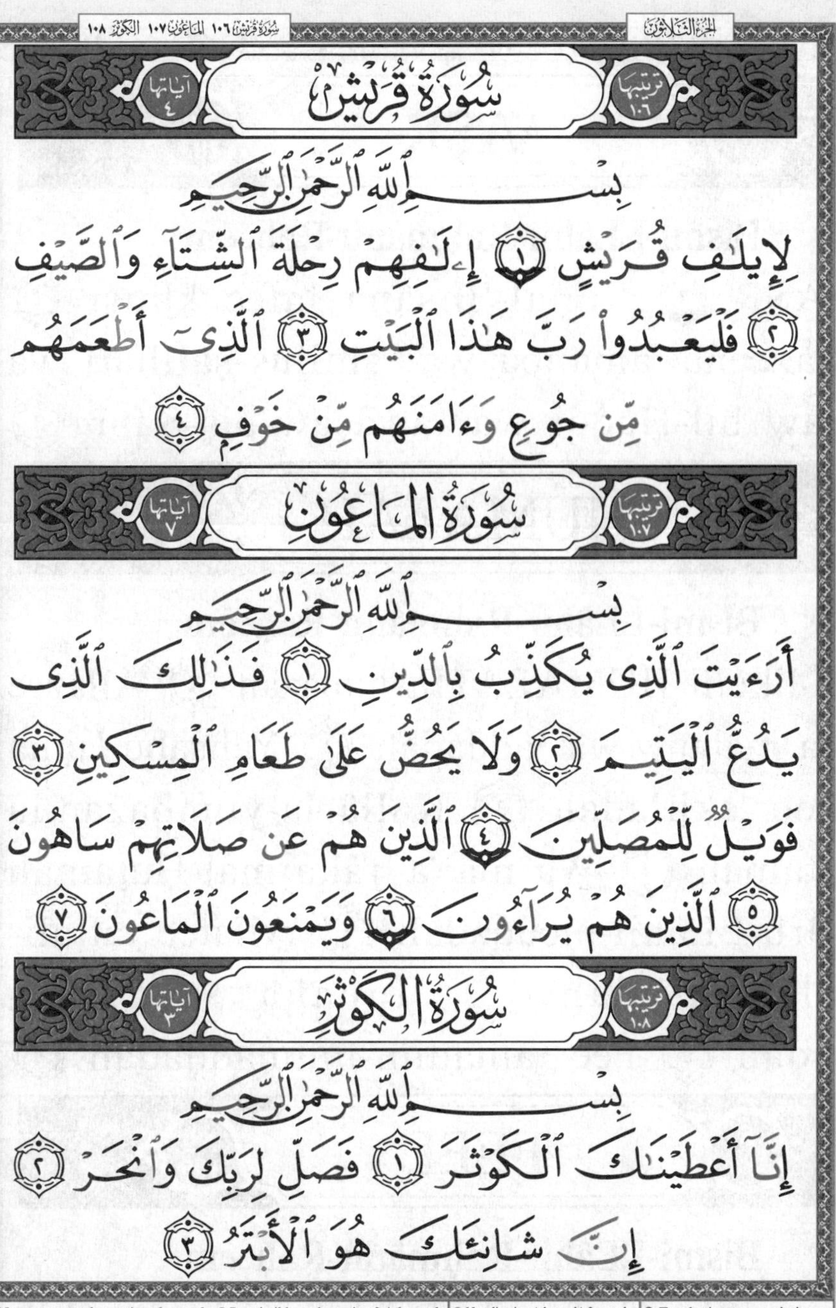

سورة قريش
آياتها ٤ — ترتيبها ١٠٦

بِسْمِ ٱللَّهِ ٱلرَّحْمَٰنِ ٱلرَّحِيمِ

لِإِيلَٰفِ قُرَيْشٍ ﴿١﴾ إِۦلَٰفِهِمْ رِحْلَةَ ٱلشِّتَآءِ وَٱلصَّيْفِ
﴿٢﴾ فَلْيَعْبُدُوا۟ رَبَّ هَٰذَا ٱلْبَيْتِ ﴿٣﴾ ٱلَّذِىٓ أَطْعَمَهُم
مِّن جُوعٍ وَءَامَنَهُم مِّنْ خَوْفٍۭ ﴿٤﴾

سورة الماعون
آياتها ٧ — ترتيبها ١٠٧

بِسْمِ ٱللَّهِ ٱلرَّحْمَٰنِ ٱلرَّحِيمِ

أَرَءَيْتَ ٱلَّذِى يُكَذِّبُ بِٱلدِّينِ ﴿١﴾ فَذَٰلِكَ ٱلَّذِى
يَدُعُّ ٱلْيَتِيمَ ﴿٢﴾ وَلَا يَحُضُّ عَلَىٰ طَعَامِ ٱلْمِسْكِينِ ﴿٣﴾
فَوَيْلٌ لِّلْمُصَلِّينَ ﴿٤﴾ ٱلَّذِينَ هُمْ عَن صَلَاتِهِمْ سَاهُونَ
﴿٥﴾ ٱلَّذِينَ هُمْ يُرَآءُونَ ﴿٦﴾ وَيَمْنَعُونَ ٱلْمَاعُونَ ﴿٧﴾

سورة الكوثر
آياتها ٣ — ترتيبها ١٠٨

بِسْمِ ٱللَّهِ ٱلرَّحْمَٰنِ ٱلرَّحِيمِ

إِنَّآ أَعْطَيْنَٰكَ ٱلْكَوْثَرَ ﴿١﴾ فَصَلِّ لِرَبِّكَ وَٱنْحَرْ ﴿٢﴾
إِنَّ شَانِئَكَ هُوَ ٱلْأَبْتَرُ ﴿٣﴾

● Necessary prolongation 6 vowels	● Permissible prolongation 2,4,6 vowels	● Nazalization (ghunnah) 2 vowels	● Emphatic pronunciation
● Obligatory prolongation 4 or 5 vowels	● Normal prolongation 2 vowels	● Un announced (silent)	● Unrest letters (Echoing Sound)

Quraish,
or the Quraish,
(custodians
of the Ka'ba).

In the name of Allah,
Most Gracious,
Most Merciful.

1. For the covenants (of security and safeguard enjoyed) by the Quraish,
2. Their covenants (covering) journeys by winter and summer,-
3. Let them adore the Lord of this House,
4. Who provides them with food against hunger, and with security against fear (of danger).

Ma'un,
or Neighbourly Needs

In the name of Allah,
Most Gracious,
Most Merciful.

1. Seest thou one, who
denies the Judgment
(to come)? 2. Then
such is the (man) who
repulses the orphan
(with harshness),
3. And encourages
not the feeding of the
indigent. 4. So woe to
the worshippers 5. Who
are neglectful of their
Prayers, 6. Those who
(want put) to be seen
(of men), 7. But refuse
(to supply) (even)
neighbourly needs.

Kauthar, or Abundance
In the name of Allah, Most Gracious, Most Merciful.

1. To thee have We granted the Fount (of Abundance). 2. Therefore to thy Lord turn in Prayer and Sacrifice
3. For he who hateth thee,- He will be cut off (from Future Hope).

q̇ = ق
ḍ = ض
ġ = غ
ṭ = ط
s = س
ṣ = ص
ḥ = ح
z = ز
ẓ = ذ
ẓ = ظ
th = ث
kh = خ
sh = ش
j = ج
‘ = ع
' = ء

Long Vowels
ee = ي
ou = و
â = ا

Short Vowels
i = ـِ (كسرة)
u = ـُ (ضمة)
a = ـَ (فتحة)

'aw = أَوْ

Ọuraeesh Mâ-‘oun Kawthar

wa = وَ
'ay = أَيْ
yâ = يا

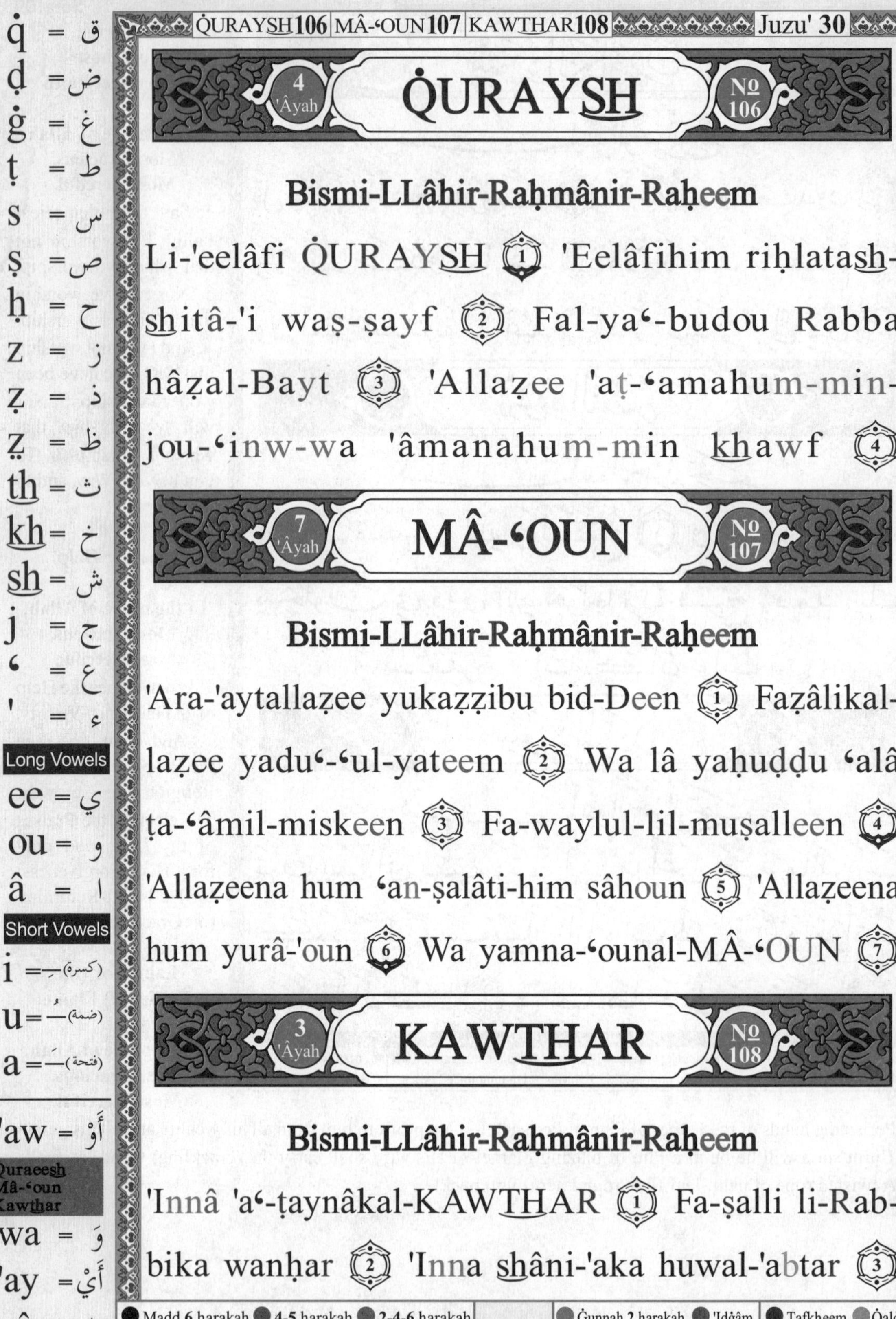

ỌURAYSH

4 'Âyah — № 106

Bismi-LLâhir-Raḥmânir-Raḥeem

Li-'eelâfi ỌURAYSH (1) 'Eelâfihim riḥlatash-
shitâ-'i waṣ-ṣayf (2) Fal-ya‘-budou Rabba
hâẓal-Bayt (3) 'Allaẓee 'aṭ-‘amahum-min-
jou-‘inw-wa 'âmanahum-min khawf (4)

MÂ-‘OUN

7 'Âyah — № 107

Bismi-LLâhir-Raḥmânir-Raḥeem

'Ara-'aytallaẓee yukaẓẓibu bid-Deen (1) Faẓâlikal-
laẓee yadu‘-‘ul-yateem (2) Wa lâ yaḥuḍḍu ‘alâ
ṭa-‘âmil-miskeen (3) Fa-waylul-lil-muṣalleen (4)
'Allaẓeena hum ‘an-ṣalâti-him sâhoun (5) 'Allaẓeena
hum yurâ-'oun (6) Wa yamna-‘ounal-MÂ-‘OUN (7)

KAWTHAR

3 'Âyah — № 108

Bismi-LLâhir-Raḥmânir-Raḥeem

'Innâ 'a‘-ṭaynâkal-KAWTHAR (1) Fa-ṣalli li-Rab-
bika wanḥar (2) 'Inna shâni-'aka huwal-'abtar (3)

Madd 6 ḥarakah | 4-5 ḥarakah | 2-4-6 ḥarakah | Ġunnah 2 ḥarakah | 'Idġâm | Tafkheem | Ọalọalah

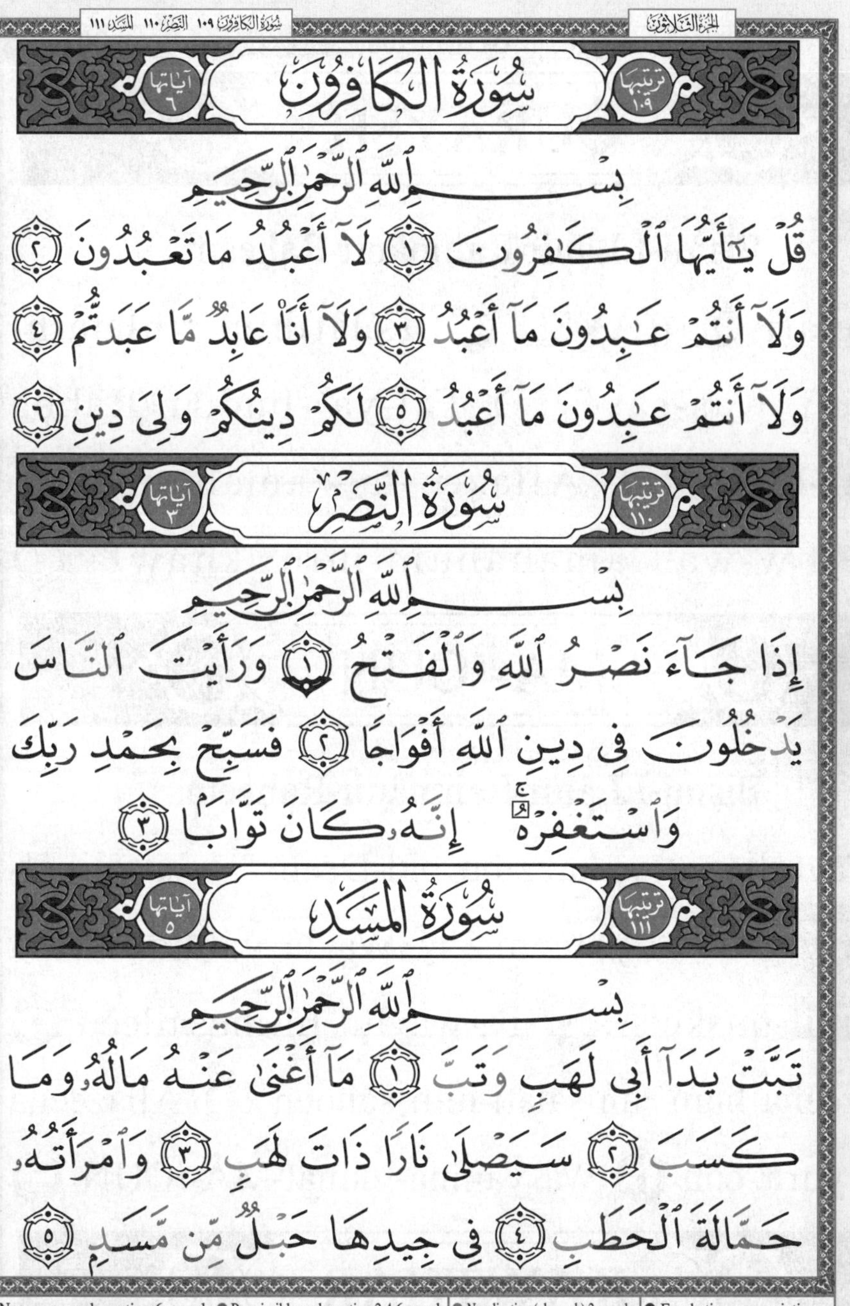

سورة الكافرون ترتيبها ١٠٩ آياتها ٦

بسم الله الرحمن الرحيم

قل يأيها الكفرون ﴿١﴾ لا أعبد ما تعبدون ﴿٢﴾
ولا أنتم عبدون ما أعبد ﴿٣﴾ ولا أنا عابد ما عبدتم ﴿٤﴾
ولا أنتم عبدون ما أعبد ﴿٥﴾ لكم دينكم ولي دين ﴿٦﴾

سورة النصر ترتيبها ١١٠ آياتها ٣

بسم الله الرحمن الرحيم

إذا جاء نصر الله والفتح ﴿١﴾ ورأيت الناس
يدخلون في دين الله أفواجا ﴿٢﴾ فسبح بحمد ربك
واستغفره إنه كان توابا ﴿٣﴾

سورة المسد ترتيبها ١١١ آياتها ٥

بسم الله الرحمن الرحيم

تبت يدا أبي لهب وتب ﴿١﴾ ما أغنى عنه ماله وما
كسب ﴿٢﴾ سيصلى نارا ذات لهب ﴿٣﴾ وامرأته
حمالة الحطب ﴿٤﴾ في جيدها حبل من مسد ﴿٥﴾

● Necessary prolongation 6 vowels ● Permissible prolongation 2,4,6 vowels ● Nazalization (ghunnah) 2 vowels ● Emphatic pronunciation
● Obligatory prolongation 4 or 5 vowels ● Normal prolongation 2 vowels ● Un announced (silent) ● Unrest letters (Echoing Sound)

Kafirun, or Those who reject Faith

In the name of Allah, Most Gracious, Most Merciful.

1. Say: O ye that reject
Faith! 2. I worship not
that which ye worship,
3. Nor will ye worship
that which I worship.
4. And I will not worship
that which ye have been
wont to worship, 5. Nor
will ye worship that
which I worship. 6. To
you be your Way, and to
me mine.

Nasr, or Help

In the name of Allah, Most Gracious, Most Merciful.

1. When comes the Help
of Allah, and Victory,
2. And thou dost see
the People enter Allah's
Religion in crowds,
3. Celebrate the Praises
of thy Lord, and pray
for His Forgiveness:
for He is Oft-Returning
(in Grace and Mercy).

Lahab, or (the Father of) Flame

In the name of Allah, Most Gracious, Most Merciful.

1. Perish the hands of the Father of Flame! Perish he! 2. No profit to him from all his wealth, and all his gains!
3. Burnt soon will he be in a Fire of blazing Flame! 4. His wife shall carry the (crackling) wood- as fuel!-
5. A twisted rope of palm-leaf fibre round her (own) neck!

q̇ = ق
ḍ = ض
ġ = غ
ṭ = ط
s = س
ṣ = ص
ḥ = ح
z = ز
ẓ = ذ
ẕ = ظ
th = ث
kh = خ
sh = ش
j = ج
ʻ = ع
' = ء

Long Vowels
ee = ي
ou = و
â = ا

Short Vowels
i = ـِـ (كسرة)
u = ـُـ (ضمة)
a = ـَـ (فتحة)

'aw = أَوْ
wa = وَ

Kâfiroun
Naṣr. Masad

'ay = أَيْ
yâ = يا

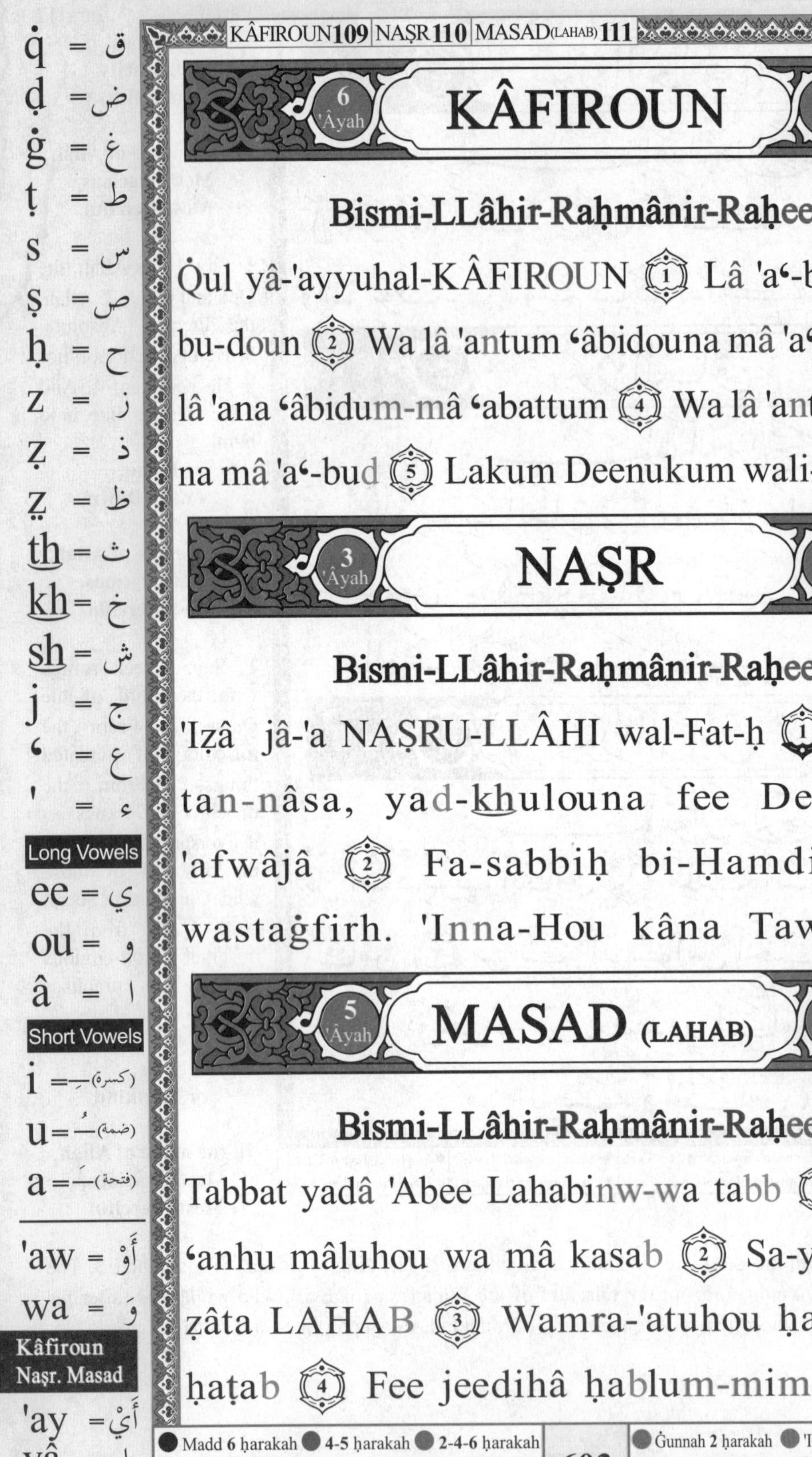

KÂFIROUN

6 'Âyah — № 109

Bismi-LLâhir-Raḥmânir-Raḥeem

Q̇ul yâ-'ayyuhal-KÂFIROUN (1) Lâ 'aʻ-budu mâ taʻ-
bu-doun (2) Wa lâ 'antum ʻâbidouna mâ 'aʻ-bud (3) Wa
lâ 'ana ʻâbidum-mâ ʻabattum (4) Wa lâ 'antum ʻâbidou-
na mâ 'aʻ-bud (5) Lakum Deenukum wali-ya Deen (6)

NAṢR

3 'Âyah — № 110

Bismi-LLâhir-Raḥmânir-Raḥeem

'Iẓâ jâ-'a NAṢRU-LLÂHI wal-Fat-ḥ (1) Wa ra-'ay-
tan-nâsa, yad-khulouna fee Deeni-LLâhi
'afwâjâ (2) Fa-sabbiḥ bi-Ḥamdi Rabbika
wastaġfirh. 'Inna-Hou kâna Tawwâbâ (3)

MASAD (LAHAB)

5 'Âyah — № 111

Bismi-LLâhir-Raḥmânir-Raḥeem

Tabbat yadâ 'Abee Lahabinw-wa tabb (1) Mâ 'aġnâ
ʻanhu mâluhou wa mâ kasab (2) Sa-yaṣlâ Nâran-
ẓâta LAHAB (3) Wamra-'atuhou ḥammâ-latal-
ḥaṭab (4) Fee jeedihâ ḥablum-mim-masad (5)

Madd 6 ḥarakah · 4-5 ḥarakah · 2-4-6 ḥarakah | Ġunnah 2 ḥarakah · 'Idġâm | Tafkheem · Q̇alq̇ala

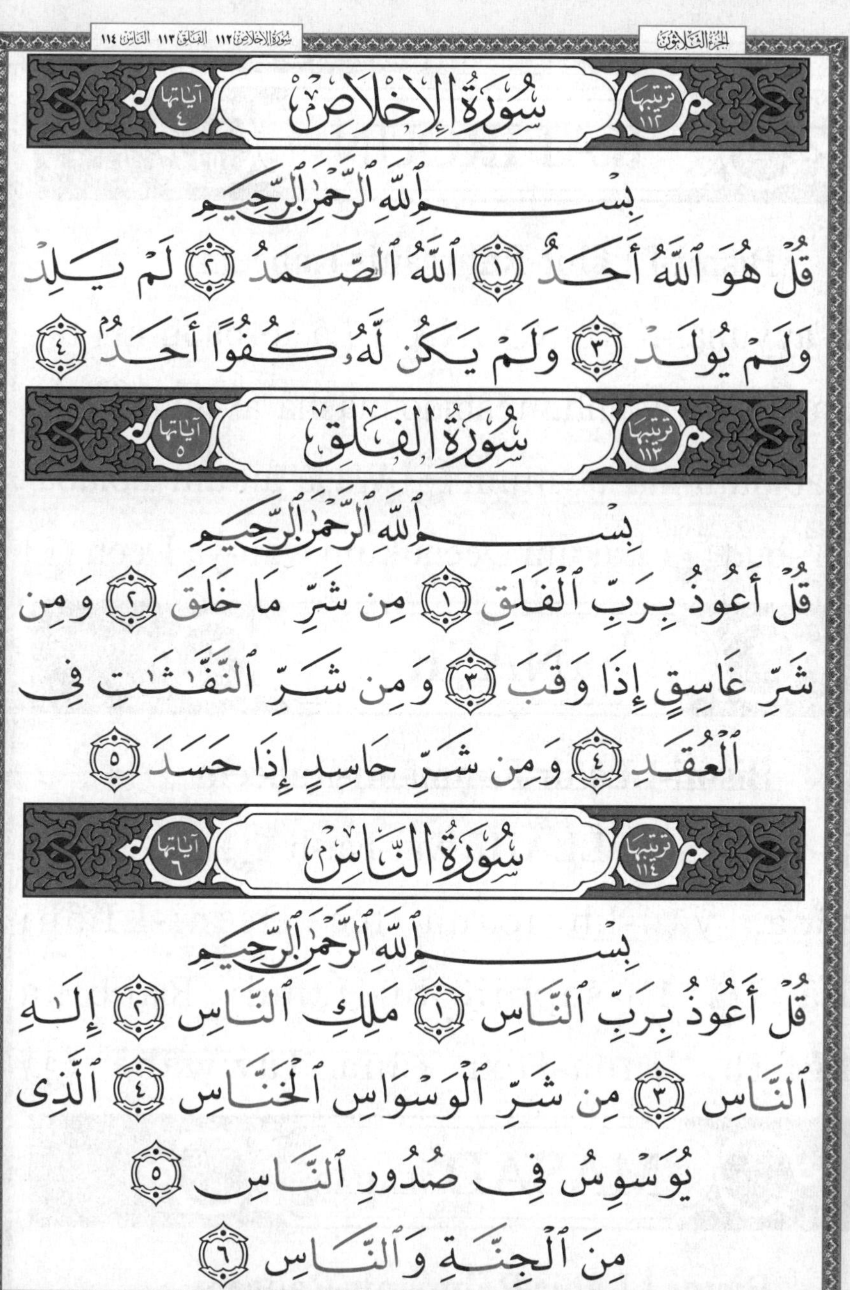

سورة الإخلاص — ترتيبها ١١٢ — آياتها ٤

بِسْمِ ٱللَّهِ ٱلرَّحْمَٰنِ ٱلرَّحِيمِ

قُلْ هُوَ ٱللَّهُ أَحَدٌ ﴿١﴾ ٱللَّهُ ٱلصَّمَدُ ﴿٢﴾ لَمْ يَلِدْ
وَلَمْ يُولَدْ ﴿٣﴾ وَلَمْ يَكُن لَّهُۥ كُفُوًا أَحَدٌۢ ﴿٤﴾

سورة الفلق — ترتيبها ١١٣ — آياتها ٥

بِسْمِ ٱللَّهِ ٱلرَّحْمَٰنِ ٱلرَّحِيمِ

قُلْ أَعُوذُ بِرَبِّ ٱلْفَلَقِ ﴿١﴾ مِن شَرِّ مَا خَلَقَ ﴿٢﴾ وَمِن
شَرِّ غَاسِقٍ إِذَا وَقَبَ ﴿٣﴾ وَمِن شَرِّ ٱلنَّفَّٰثَٰتِ فِى
ٱلْعُقَدِ ﴿٤﴾ وَمِن شَرِّ حَاسِدٍ إِذَا حَسَدَ ﴿٥﴾

سورة الناس — ترتيبها ١١٤ — آياتها ٦

بِسْمِ ٱللَّهِ ٱلرَّحْمَٰنِ ٱلرَّحِيمِ

قُلْ أَعُوذُ بِرَبِّ ٱلنَّاسِ ﴿١﴾ مَلِكِ ٱلنَّاسِ ﴿٢﴾ إِلَٰهِ
ٱلنَّاسِ ﴿٣﴾ مِن شَرِّ ٱلْوَسْوَاسِ ٱلْخَنَّاسِ ﴿٤﴾ ٱلَّذِى
يُوَسْوِسُ فِى صُدُورِ ٱلنَّاسِ ﴿٥﴾
مِنَ ٱلْجِنَّةِ وَٱلنَّاسِ ﴿٦﴾

• Necessary prolongation 6 vowels	• Permissible prolongation 2,4,6 vowels	• Nazalization (ghunnah) 2 vowels	• Emphatic pronunciation
• Obligatory prolongation 4 or 5 vowels	• Normal prolongation 2 vowels	• Un announced (silent)	• Unrest letters (Echoing Sound)

Ikhlas, or Purity (of Faith)

In the name of Allah, Most Gracious, Most Merciful.

1. Say: He is Allah, the One and Only; 2. Allah, the Eternal, Absolute; 3. He begetteth not, nor is He begotten; 4. And there is none like unto Him.

Falaq, or the Dawn

In the name of Allah, Most Gracious, Most Merciful.

1. Say: I seek refuge with the Lord of the Dawn, 2. From the mischief of created things; 3. From the mischief of Darkness as it overspreads; 4. From the mischief of those who practise Secret Arts: 5. And from the mischief of the envious one as he practises envy.

Nas, or Mankind

In the name of Allah, Most Gracious, Most Merciful.

1. Say: I seek refuge with the Lord and Cherisher of Mankind, 2. The king (or Ruler) of Mankind,- 3. The Allah (or Judge) of Mankind,- 4. From the mischief of the Whisperer (of Evil), who withdraws (after his whisper),- 5. (The same) who whispers into the hearts of Mankind,-6. Among Jinns and among Men.

q̇ = ق
ḍ = ض
ġ = غ
ṭ = ط
s = س
ṣ = ص
ḥ = ح
z = ز
ẓ = ذ
ẕ = ظ
th = ث
kh = خ
sh = ش
j = ج
‘ = ع
' = ء

Long Vowels

ee = ي
ou = و
â = ا

Short Vowels

i = ـِـ (كسرة)
u = ـُـ (ضمة)
a = ـَـ (فتحة)

'aw = أَوْ
wa = وَ
'ay = أَيْ
yâ = يا

'Ikhlâş
Falaq̇. Nâs

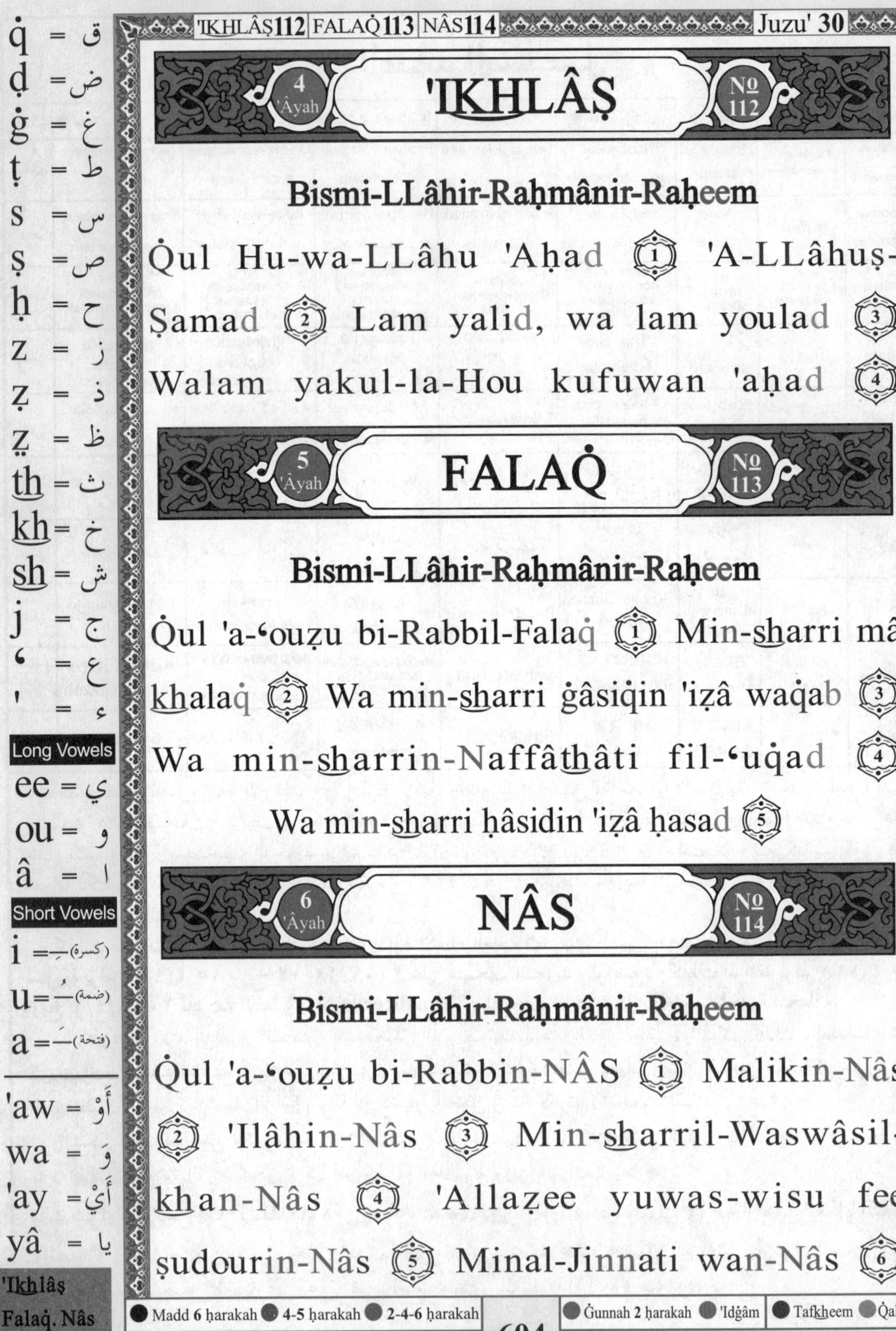

4 'Âyah — # 'IKHLÂŞ — № 112

Bismi-LLâhir-Raḥmânir-Raḥeem

Q̇ul Hu-wa-LLâhu 'Aḥad (1) 'A-LLâhuṣ-
Ṣamad (2) Lam yalid, wa lam youlad (3)
Walam yakul-la-Hou kufuwan 'aḥad (4)

5 'Âyah — # FALAQ̇ — № 113

Bismi-LLâhir-Raḥmânir-Raḥeem

Q̇ul 'a-‘ouẓu bi-Rabbil-Falaq̇ (1) Min-sharri mâ
khalaq̇ (2) Wa min-sharri ġâsiq̇in 'iẓâ waq̇ab (3)
Wa min-sharrin-Naffâthâti fil-‘uq̇ad (4)
Wa min-sharri ḥâsidin 'iẓâ ḥasad (5)

6 'Âyah — # NÂS — № 114

Bismi-LLâhir-Raḥmânir-Raḥeem

Q̇ul 'a-‘ouẓu bi-Rabbin-NÂS (1) Malikin-Nâs
(2) 'Ilâhin-Nâs (3) Min-sharril-Waswâsil-
khan-Nâs (4) 'Allaẓee yuwas-wisu fee
ṣudourin-Nâs (5) Minal-Jinnati wan-Nâs (6)

Madd 6 ḥarakah · 4-5 ḥarakah · 2-4-6 ḥarakah · Ġunnah 2 ḥarakah · 'Idġâm · Tafkheem · Q̇alq̇ala

المنهج المستعمل

القلقلة ●	تفخيم ●	لا يُلفَظ ●	غُنّة ، حركتان ●	مد ، حركتان ●	مد ٢ أو ٤ أو ٦ جوازاً ●	مد واجب ٤ أو ٥ حركات ●	مد ٦ حركات لزوماً ●	المصطلح
Unrest letters Echoing Sound)	Emphatic pronunciation	Un announced (silent)	Nazalization (ghunnah) 2vowels	Normal prolongation 2 vowels	Permissible prolongation 2,4,6 vowels	Obligatory prolongation 4 or 5 vowels	Necessary prolongation 6 vowels	إنكليزي
Consonnes Emphatiques	Emphase	Non prononcées	Nasalisation (ghunnah) de 2voyelles	Prolongation normale de 2 voyelles	Prolongation permise de 2,4 ou 6 voyelles	Prolongation obligatoire de 4 ou 5 voyelles	Prolongation necessaire de 6 voyelles	إفرنسي
МФАТИЧЕСКИЕ СОГЛАСНЫЕ	ЗВОНКИЙ ВЗРЫВНОЙ	НЕ ПРОИЗ - НОСИТСЯ	ГОВОРИТЬ В НОС ДОЛГОТА ПРОИЗНОШЕНИЯ 2 ЗВУКА	ДОЛГОТА ПРОИЗНОШЕНИЯ 2 ЗВУКА	ДОЛГОТА ПРОИЗНОШЕНИЯ 2 ИЛИ 4 ИЛИ 6 ЗВУКОВ ВОЗМОЖНО	ДОЛГОТА ПРОИЗНОШЕНИЯ 4 ИЛИ 5 ЗВУКОВ ОБЯЗАТЕЛЬНО	ДОЛГОТА ПРОИЗНОШЕНИЯ 6 ЗВУКОВ НЕОБХОДИМО	روسي
Qalqala	fuerte	Un silencio	'Ijfa' con Ghunnah	Prolongación normal 2 movimientos	Prolongación permitida 2, 4, 6 movimientos	Prolongación obligatoria 4-5 movimientos	Prolongación necesaria 6 movimientos	إسباني
unruhender Buchstabe Echo Klang)	hervorhebende Aussprache	Es wird nicht ausgesprochen	2 Vokale näselnde Aussprache (durch die Nase sprechen)	2 Vokale langziehen	2,4, oder 6 vokale langziehen,zulässig	4 oder 5 Vokale lang-ziehen , obligatorisch	6 Vokale langziehen , erforderlich	ألماني
قلقله	تخيم	ادغام اورنا قابل تلفّظ	اخفااورغنہ کی جگہ (۲۔حرکتیں)	۲حرکتوں والی مد	۲۔۴ یا۶ حرکتوں والی اختیاری مد	۴یا۵حرکتوں والی مدِواجب	۶ حرکتوں والی مدِلازم	أردو
قلقله	تفخيم	ادغام وغير ملفوظ	اخفاء، غنّه دو حركت	دو حركت	مد اختياری ۲ يا ٤ يا ٦ حركت	مد واجب ٤ يا ٥ حركت	مد لازم ٦ حركت	فارسي
Kalkale	Kalın	İdgam ve okunmayan harfler	İhfa ve Gunne yerleri	Bir elif uzatıfır	1, 2, 3 veya 4 elif uzatmak caiz	2 veya 4 elif uzatmak vâcib	4 elif uzatmak vâcib	تركي
Qalqalah	dibuca tebal	TIDAK DI BACA	MENDENGUNG (DUA HARAKAT)	MAD 2 HARAKAT	MAD BOLEH MEMILIH ANTARA 2/4/6 HARAKAT	MAD PANJANGNYA 4 – 5 HARAKAT (WAJIB)	MAD PANJANGNYA 6 HARAKAT (LAZIM)	أندونيسي / ماليزي
爆破音	重读“拉吾”	并读、不发音的字母。	鼻音、隐读（两拍）	自然拉长两拍	可以拉长两拍或四拍或六拍	应该拉长四或五拍	必须拉长六拍	صيني

وصدرت موافقة وزارة الأوقاف – إدارة الإفتاء العام في الجمهورية العربية السورية – على طبع وتداول وتصدير هذا المصحف الشريف برقم ١٦٩(١٥/٤) تاريخ ٢٠٠٤/٩/١٦ م ، وكانت وزارة الإعلام قد وافقت على نشر وتداول مصحف التجويد برقم ١٨٩٥٢ تاريخ ١٩٩٤/٩/١٤ م وذلك بموجب كتاب المفتي العام جواباً لكتاب وزارة الإعلام رقم ١١٣٩ تاريخ ١٩٩٤/٤/٢٦ م وطلب المهندس صبحي طه المسجل برقم ٢٩٠ تاريخ ١٩٩٤/٦/٢٨ م.

وكذلك صدرت موافقة وزارة الأوقاف – إدارة الافتاء العام والتدريس الديني – المفتي العام في الجمهورية العربية السورية برقم ١٥/٤/٤٤٢ تاريخ ٢٠٠٧/١٢/١٢ على مصحف التجويد (الواضح) وكذلك الموافقة برقم ١٢٨(١٥/٤ تاريخ ٢٠٠٨/٤/٢ للترجمة اللفظية (Transliteration) لمصحف التجويد إلى اللغات الأجنبية المختلفة.

وتجزي دار المعرفة تقديرها للدكتور محمد حبش الذي قام بتنفيذ هذا العمل الجليل، والشكر كذلك لفضيلة الشيخ كريم راجح ولفضيلة الشيخ محي الدين الكردي، وللأساتذة الدكاترة : محمد سعيد رمضان البوطي - وهبة الزحيلي - محمد عبد اللطيف الفرفور - محمد الزحيلي ، الذين دعموا العمل وتبنّوا فكرته وشجعوا تنفيذها .

والشكر الخالص من القلب للعلماء الأفاضل على مستوى العالم الإسلامي الذين باركوا العمل ورحّبوا به ، تسهيلاً لتلاوة القرآن الكريم كما أمر بها الله تعالى ﴿ ورتل القرآن ترتيلاً ﴾ .

والشكر الأسمى من قبل ذلك كله ومن بعده ، لله تعالى عزَّ وجَل الهادي والموفق في إنجاز هذا العمل المبارك والصلاة والسلام على أفضل خلق الله ، النبي الأمي محمد عليه أفضل الصلاة وأزكى السلام ، وعلى آله وصحبه الأخيار ، وعلى من اتبع هدى القرآن الى يوم يبعثون .

دار المعرفة – دمشق

IDENTIFICATION OF THIS NOBLE QUR'AN

With Allah's aid and after several years of assiduous labor, the publishing of this Noble Qur'an has been fulfilled in order to guide reciters how to intone it according to Ḥafṣ's narration from 'Âṣim, from 'uthmân, from 'Alee 'Ibn 'Abee Ṭalib, Zayd 'Ibn Thabit and 'Ubay 'Ibn Ka'b from Muḥammad's recitation. The following is the pattern employed:

-The dark red colour ●: Indicates necessary prolongation, six vowels each of which is about half a second.

Example: حَآجَّكَ - الٓمٓ

-The blood red colour ●: Indicates obligatory prolongation, five vowels: it comprises nonstop prolongation, separate and major link.

Example: ٱلْمَآءَ - يَـٰٓأَيُّهَا - مَالَهُۥٓ أَخْلَدَهُۥ

-The orange red colour ●: Indicates permissible prolongation, two or four or six vowels.
It pertains to vowelless consonants and soft prolongation.

Example: عَظِيم - ٱلْأَلْبَـٰب - لَيَقُولُون - خَوْف

-The cumin red colour ●: Indicates certain cases or normal prolongation, it belongs to what scribes left in the Ottoman copy of the Holy Quran and it takes two vowels duration.

Example: بِقَدِرٍ - لَهُۥ تَصَدَّىٰ - يَسْتَحْيِۦ - دَاوُۥد

- The green colour ●: Indicates nasalization which is the sound that comes out of the nose; it continues as long as two vowels.
It comprises:
Nasalized contraction (Idgham bi ghunnah): مَن يَعْمَلْ - عَذَابًا مُّهِينًا
Disappearance (Ikhfa'a) : أَنتَ - عَلِيمًا قَدِيرًا
Inversion (Iglab) : مِنۢ بَعْدُ - سَمِيعًۢا بَصِيرًا
-Stressed -N- and -M- : إِنَّ - ثُمَّ

N.B: nasalization is always recommended if it is in a separate word; but if it is connected with what comes before or after, it is recommended only when there is non-stop.

-The gray colour ● : indicates what is unannounced

a. what is never pronounced:

1. The assimilated "L": ٱلشَّمْس - ٱللَّغْو
2. The incompatible: زَكَوٰة - بَلَـٰٓؤُا۟ - وَجِاْىٓءَ - يَدْعُوا۟
3. The (alif) of discrimination: ٱذْكُرُوا۟
4. The conjunctive hamza within a word : وَٱلْمُرْسَلَـٰتِ
5. The position of the omitted alef: نَجْمَعَهُمْ
6. Inversion within a word : فَأَنۢبِتْنَا

b. Unpronounced contracted and inversed letters:

1. Contracted (n) , (nunnation) : مَن يَعْـمَلْ - عَذَابًا مُّهِينًا
2. The (n) which is inverted into (m) : مِنۢ بَعْدُ
3. The letter which is relatedly contracted : لَقَد تَّقَطَّعَ
4. The letter which is approximately contracted : قُل رَّبِّ

-The dark blue colour ●: indicates the emphatic pronunciation :

تَقَطَّعَ - ٱذْكُرُوا۟

-The blue colour ● : indicates the unrest letters - echoing sound on: (ق ، ط ، ب ، ج ، د) (qualquala) Ex: أَوِ ٱدْعُو - بِرَبِّ ٱلْفَلَقِ ﴿١﴾

بسم الله الرحمن الرحيم

الجمهورية العربية السورية
وزارة الأوقاف
إدارة الإفتاء العام
والتدريس الديني

الرقم ١٨٢ (١٥/٤)

السيد المهندس صبحي طه / مدير عام دار المعرفة بدمشق

السلام عليكم ورحمة الله وبركاته ،

جوابا لكتابكم المسجل لدينا برقم ٤٩٢/و تاريخ ٢٠٠٢/١٢/١٠م.

نفيدكم بانه من الخير العميم أن ينتفع المسلمون من غير العرب بما يوفره استخدام اللون المرمز لمواقع الأحكام التجويدية في النص العربي المقروء بالحروف الانكليزية جنبا إلى جنب مع الصفحات العربية للقرآن الكريم مع ترجمة المعاني الى اللغة الانكليزية على هامش الصفحات في مصحف التجويد (ورتل القرآن ترتيلا) الذي حاز على موافقة سماحة المفتي العام جواباً على كتابكم المسجل برقم ٢٩٠ تاريخ ١٩٩٤/٦/٢٨ وبالتالي موافقة وزارة الاعلام رقم ١٨٩٥٢ تاريخ ١٩٩٤/٩/١٤ وكذلك على موافقة الأزهر الشريف بتاريخ ١٩٩٩/٩/٨

لذا فإننا نبارك لكم هذا العمل المجيد في خدمة كتاب الله تعالى لغير الناطقين باللغة العربية طالما أنكم تقيدتم بقواعد النطق الصحيح للقرآن الكريم وأحكام تجويده ومواقع الوقف فيه ، جعلنا الله وإياكم من الذين ينتفعون من التفقه فيه والعمل بهداه .

والله ولي التوفيق .

دمشق في ٦ / ١٠ / ١٤٢٣ و ١٠ / ١٢ / ٢٠٠٢م

مدير إدارة الإفتاء العام والتدريس الديني

Syrian Arab Republic
Ministry of the Endowment
Administration of the General Ifta'a
And Realign Teaching.

N0.183(15/4)

To Engineer Subhi Taha.
General Director of Dar Al Maarifah, Damascus.
Assalaamu 'Alaykum WRWB.
Reference: Your registered letter No.492 dated 10/12/2002.

We would like to inform you that there is an enormous benefit to the Non-Native Speaker of Arabic when they profit from using the color-coding of the Tajweed Rules in the Arabic Text, which has been transliterated in Latin Letters, next to the Arabic pages of the Noble Qur'an with meaning translation into English on the margin of your edition: Tajweed Qur'an Edition (Wa Rattel-el-Qur'a'n Tartilla), which was approved by the General Mufti in reply to your registered letter No. 290, dated 28/6/1994, which resulted in the approval NO. 18952, dated 14/9/1994 from the Ministry of Information ; also approval from Al-Azhar El-Shareef dated 8/9/1999.

Therefore we bless this good work in serving The Book of Allah for the Non-Native Speakers of Arabic, as long as you strictly abide by the right pronunciation of the Noble Qur'an and it's Tajweed Rules and the positions of the places of stop.

Allah (swt) Bless you.

Director of Administration of the General Ifta'a and Realign Teaching.

أمثلة على الأحكام المطبقة في هذا المصحف الشريف

الحروف ذات اللون الرمادي: تُكتب ولا تُلفظ

١- اللام الشمسية	ٱلشَّمْس .
٢- ألف التفريق (الجماعة)	قَالُواْ .
٣- همزة الوصل داخل الكلمة	وَٱلْقَمَرِ .
٤- المرسوم خلاف اللفظ	ٱلصَّلَوٰةَ .
٥- الإدغام الكامل (بلاغُنّه)	كَأَن لَّمْ - مُصَدِّقًا لِّمَا - عَدُوٌّ لِّي - فَيَوْمَئِذٍ لَّا .
٦- الإدغام المتجانس	أَثْقَلَت دَّعَوَا - لَقَد تَّقَطَّعَ .
٧- الإدغام المتقارب	بَل رَّبُّكُمْ - نَخْلُقكُّم .

الحروف ذات اللون الأحمر (بتدرّجاته): تمد مداً زائداً

٨- المدّ اللازم (الكلمي المثقّل) ٦ حركات	دَآبَّة .
٩- المدّ اللازم (الحرفي) ٦ حركات	الٓمٓ .
١٠- (مدّ الفرق) ٦ حركات	ءَآللَّهُ أَذِنَ .
١١- المدّ الواجب (المتصل) ٤ أو ٥ حركات	جَآءَهُم .
١٢- المدّ الواجب (المنفصل) ٤ أو ٥ حركات (اختيار الشاطبي)	حَتَّىٰٓ إِذَا .
١٣- مدّ (الصلة الكبرى) ٤ أو ٥ حركات	تَأْوِيلَهُۥٓ إِلَّا - بِهِۦٓ إِلَيْهِ .
١٤- المدّ العارض للسكون ٢ أو ٤ أو ٦ حركات	ٱلْمِيزَانَ ﴿٩﴾ تُفْلِحُونَ ﴿٣١﴾ حَكِيمٌ ﴿٤﴾
١٥- مدّ اللين ٢ أو ٤ أو ٦ حركات	ٱلْبَيْتِ ﴿٣﴾ خَوْفٍ ﴿٤﴾
١٦- الألف الخنجرية حركتان	يُجَٰدِلُونَ .
١٧- مدّ الصِّلة الصغرى حركتان	لَهُۥ يَوْمَ - نُؤْتِهِۦ مِنْهَا .
١٨- مدّ العِوَض (تبقى الألف سوداء وتُمد بحركتين عند الوقف عوضاً عن التنوين المنصوب)	وَقَالَ صَوَابًا ﴿٣٨﴾ ذَٰلِكَ

الحروف ذات اللون الأخضر: تخرج بغنّة من الخيشوم (الأنف) حركتان

١٩- (غنّة الإخفاء) (إخفاء شفوي)	مِن كُلِّ - رَسُولًا فَنَتَّبِعَ - خَيْرٌ فَأَعِينُونِي - عَمَدٍ تَرَوْنَهَا . وَهُم بِٱلْءَاخِرَةِ .
٢٠- النون المشددة (غنة مع الشدة)	فَإِنَّهُمْ .
٢١- الميم المشددة (غنة مع الشدة)	مِمَّا .
٢٢- الإقلاب (غنة على الميم الصغيرة)	مِنۢ بَعْدُ - أَمْوَاتًۢا بَلْ - تَسْرِيحٌۢ بِإِحْسَٰنٍ - ءَايَٰتٍۭ بَيِّنَٰتٍ .
٢٣- الإدغام بغنة (الغنة على الحرف المدغم فيه)	مَن يَشْتَرِي - غَدًا يَرْتَعْ - عِجَافٌ وَسَبْعَ - حَبَّةٍ مِّن .
٢٤- الإدغام المتماثل	رَبَّهُم مُّنِيبِينَ - لَن نُّؤْمِنَ - رَبِحَت تِّجَٰرَتُهُمْ .

الحروف ذات اللون الأزرق لصفات القلقلة والتفخيم:

٢٥- القلقلة (أزرق فاتح)	قَبْلِهِمْ - تَجْعَلُواْ - وَٱدْعُواْ - شَطْرَهُۥ - ٱلْفَلَقِ ﴿١﴾
٢٦- التفخيم (أزرق غامق)	ٱلرَّسُولُ - يَرْتَعْ - بِٱلْءَاخِرَةِ - خَيْرٌ - ٱلصَّلَوٰةَ - وَقَالَ .
٢٧- الترقيق (تبقى الراء بالأسود)	ٱلْبَرِيَّةِ ﴿٥﴾ - أَمْرٍ مَّرِيجٍ ﴿٥﴾
٢٨- الإظهار (تبقى النون والتنوين بلون أسود)	مَنْ أَحْبَبْتَ - سَيِّئًا عَسَى - نَفْسٌ إِلَّا - ءَايَةٍ حَتَّىٰ .

ملاحظة :

عند الوقف: يجب أن يُعامَل حرف المد (الموجود قبل الحرف الأخير من الكلمة) معاملة المد الجائز العارض للسكون .

ويتم كذلك قلقلة حروف : (ق ، ط ، ب ، ج ، د) وإلغاء حركتها من آخر الكلمة .

علماً أن صفات الحروف ومخارجها ، لابد من سماعها لتأديتها بشكل صحيح من خلال التلقّي ... لأن هذا المصحف الشريف لا يُغني عن التلقّي .

AL-AZHAR
Islamic Research Academy
General Management
For Research, Writing and Translation.

By examination and verification of the "Tajweed Qur'an" (wa-rattel-el-Qur'an tartila) related to "Dar Al Maarifah", it has been ascertained that it is in the Othmani style, and that the methodology adopted by the publishing house has been accurately applied after examining the passages written at the end of it, wherein the publisher explains everything relevant to the application of the idea of color coding.

The committee of the Noble Qur'an has examined this copy and found it correct in terms of calligraphy and vowelization, and that the idea of time and color coding is a unique and creative idea, and does not contradict with the calligraphy and vowelization.

It also helps the reader understand the Tajweed Rules and their application by means of the color codes set at the bottom of each page.

The committee attests:
That "Dar Al Maarifah" has accurately applied its idea flawlessly.

(Quoted from the report of the Revision Committee of the Noble Qur'an approved on 6/9/1999).

بسم الله الرحمن الرحيم

AL-AZHAR
ISLAMIC RESEARCH ACADEMY
GENERAL DEPARTMENT
For Research, Writing & Translation

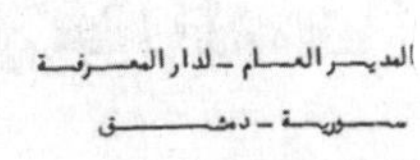

السيد / المدير العام - لدار المعرفة

سورية - دمشق

السلام عليكم ورحمة الله وبركاته ..... وبعد :

فإشارة إلى الطلب المقدم من سيادتكم بشأن فحص ومراجعة مصحف التجويد (دار المعرفة " ورتل القرآن ترتيلا "
وبعرض المصحف المذكور على لجنة مراجعة المصاحف ..

افادت الآتى :

- بفحص ومراجعة مصحف التجويد " ورتل القرآن ترتيلا " والخاص بدار المعرفة تبين أنه صحيح فى جوهر الرسم العثمانى
وأن المنهج الذى اعتمدته الدار الناشرة قد طبق تطبيقا صحيحا وذلك بعد التثبت من الفقرات المدونة
فى آخر المصحف والذى يبين فيها الناشر كل مايتعلق بتطبيق فكرة التلوين .

- لذى ترى اللجنة السماح بنشر مصحف التجويد " ورتل القرآن ترتيلا " الخاص بدار المعرفة وتداوله على ان تراع
الدقة التامة فى عمليات الطبع والنشر حفاظا على كتاب الله من التحريف كما جاء بتقريرها بتاريخ ١٩٩٩/٩/١م
والمعتمد من فضيلة الامين العام لمجمع البحوث الاسلامية بتاريخ ١٩٩٩/٩/٦م .
والسلام عليكم ورحمة الله وبركاته

مدير عام
البحوث والتاليف والترجمة

١٤٢٠/٥/٢٨هـ
١٩٩٩/٩/٨م

Only by three main color:

RED(color graduation) for the positions to be prolonged, ***GREEN*** for the nasal (ghunnah) ***BLUE*** for the description of sound articulation, **(the *Gray* is not Pronounced)** While reciting, **28** rules are immediately applied without memorizing these rules.

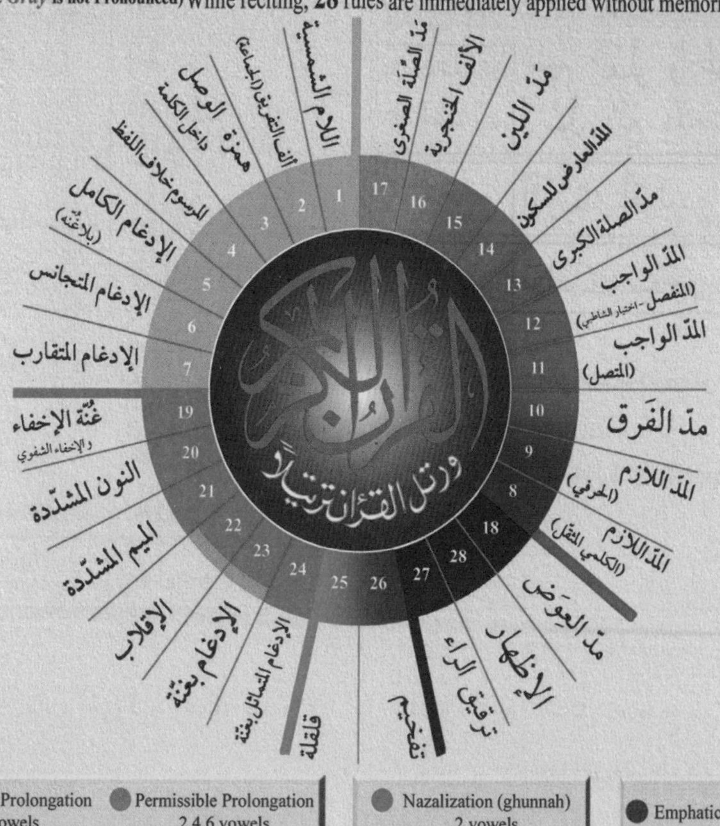

Necessary Prolongation 6 vowels	Permissible Prolongation 2,4,6 vowels
Obligatory Prolongation 4 or 5 vowels	Normal Prolongation 2 vowels

Nazalization (ghunnah) 2 vowels
Un announced (silent)

Emphatic pronunciation
Unrest letters (Echoing Sound)